Girl Online

Zoe Sugg

Girl Online

Traduit de l'anglais (Grande-Bretagne)
par Rosalind Elland-Goldsmith

La Martinière j. FICTION

Photographies de couverture :
arrière-plan : © Tom Merton/Getty Images ;
bulles : Bogdanhoda/Shutterstock ;
plage : © Mikhail Starodubov/Shutterstock ;
chaussettes : © Kseniia Perminova/Shutterstock ;
milkshake : © Kseniia Perminova/Shutterstock ;
hublot : © Tyler Olson/Shutterstock ;
groupe sur la plage : © Merzzie/Shutterstock ;
nuages : © irin-k/Shutterstock ;
ballons : © Andrekart Photography/Shutterstock.
Photographie de l'auteur : © Zoe Sugg.

Édition originale publiée en 2014
sous le titre *Girl Online* par Penguin Group,
Penguin Books Ltd, 80 Strand, London WC 2R 0RL, UK.

ISBN : 978-2-7324-7065-8

www.lamartinieregroupe.com
www.lamartinierejeunesse.fr

Conforme à la loi n° 49-956 du 16 juillet 1949 sur
les publications destinées à la jeunesse.

Zoe Sugg est née en 1990. En 2009, elle lance sa chaîne Youtube sous le pseudonyme de Zoella. Dans ses vidéos, elle parle de sa vie, de mode et de beauté. Le succès est fulgurant : la chaîne de Zoe compte aujourd'hui plus de 6 millions d'abonnés !

Elle a remporté le Cosmopolitan Blog Award, décerné par l'édition anglaise du célèbre magazine *Cosmopolitan*, dans la catégorie « Meilleur Blog Beauté » en 2011, puis dans la catégorie « Meilleure Blogueuse Beauté » en 2012.

Zoe Sugg vit à Brighton, et *Girl Online* est son premier roman.

Je dédie ce livre à tous ceux qui ont rendu son existence possible. Aux internautes qui, de 2009 à aujourd'hui, se sont abonnés à ma chaîne YouTube et ont lu mes notes de blog. Merci pour votre incommensurable soutien. Je n'ai pas les mots pour vous exprimer tout mon amour. Sans vous, ce livre ne serait pas aujourd'hui entre vos mains.

Il y a un an...

22 novembre

Salut tout le monde !

J'ai décidé d'ouvrir un blog.
Mon blog.
Vous vous demandez pourquoi ?
Parce qu'en ce moment, j'ai la tête comme une canette de Coca qu'on aurait trop secouée et qui serait sur le point d'exploser. Des milliers de pensées bouillonnent dans mon esprit, mais je n'ai pas assez confiance en moi pour les exprimer « en vrai ».
Mon père m'a conseillé de tenir un journal intime ; d'après lui, ce serait le meilleur moyen d'exprimer mes émotions et mes idées, même les plus secrètes. Il pense aussi qu'en me relisant, plus tard, je pourrai apprécier réellement mes années d'adolescence. Voilà qui prouve une seule chose : que papa a complètement oublié ce que c'est d'être un ado...

J'ai quand même tenté le journal intime. Au bout d'une page, j'ai laissé tomber. Voici en gros ce que je racontais :

« Aujourd'hui il a plu, mes chaussures sont bousillées. Jenny voulait sécher les maths, mais finalement elle est venue. En cours de sciences, John Barry s'est enfoncé un crayon dans la narine et a saigné. Il ne faisait pas le fier. Je n'ai pas pu m'empêcher de rire.
Bonne nuit. »

On est loin de Bridget Jones !
En réalité, tenir un journal où je ne m'adressais qu'à moi-même me semblait un peu vain. J'avais envie de sentir que d'autres personnes pouvaient me lire. Voilà ce qui m'a vraiment poussée à tenter l'aventure du blog. Le désir d'avoir un endroit où je pourrai écrire ce que je veux, *quand* je veux, *comme* je veux mais surtout : *en m'adressant à quelqu'un*. Et qui, en même temps, m'évite de me demander si je passe pour une fille cool ou une pauvre cruche.
Voilà pourquoi mon blog est anonyme. Parce que je veux y être cent pour cent *moi*.
Mon meilleur ami Wiki (ce n'est pas son vrai prénom, bien sûr, pour des raisons d'anonymat) dit que « se cacher pour pouvoir être soi-même, c'est de l'ordre du tragique-épique ». Sauf qu'il ne sait pas, lui, ce que c'est d'être une adolescente angoissée.
Parfois, je me demande si le fait d'être adolescente ne serait pas la cause même de mon anxiété. Parce que, voyons les choses en face… je traîne un sacré paquet d'angoisses.

Top 10 de ce qui fait angoisser une adolescente :

1. À l'adolescence, tu es censée avoir un physique parfait.
2. Sauf que c'est *pile* ce moment que choisissent tes hormones pour partir en vrille.
3. Et que, du coup, tu traverses l'ère la plus boutonneuse de ta vie (ce qui rend irréaliste le petit 1 de cette liste).
4. Adolescente, tu es libre de faire tes propres courses et donc d'acheter plein de chocolat (ce qui ne fait qu'empirer le petit 3).
5. Du jour au lendemain, toutes tes fringues sont scrutées à la loupe.
6. Elles aussi doivent (donc) être parfaites.
7. Surtout que tu as intérêt à avoir une allure de top model.
8. Puisque tu te prends en selfie tous les jours.
9. ... Selfie qu'il faut aussitôt poster sur les réseaux sociaux pour que tes tenues soient, donc, scrutées à la loupe.
10. Tu dois plaire à tous les garçons que tu croises (malgré ce qui a été cité en petits 1, 2, 3, 4, 5, 6, 7, 8 et 9).

Pfff...
Mon rêve secret, je l'avoue, ce serait d'apprendre que toutes les adolescentes pensent et ressentent les mêmes choses que moi. Peut-être qu'alors on pourrait, ensemble, arrêter de jouer cette comédie et être enfin nous-mêmes. En attendant ce jour béni, je vais déjà tâcher d'être moi-même sur ce blog. J'y raconterai ce qui me chante... et j'adorerais que vous (qui que vous soyez) en fassiez

autant. On sera ici entre nous, ce sera notre petit coin de web, un endroit où il est permis de parler de ce qu'on ressent *vraiment* en tant qu'adolescente.
Sinon, je suis également passionnée de photographie. J'aime la capacité qu'ont les photos de fixer les moments heureux pour l'éternité… les sublimes couchers de soleil, les fêtes d'anniversaire, les cupcakes couverts de perles de sucre… Sur ce blog, je posterai donc beaucoup d'images… sauf des selfies, bien sûr, pour des questions d'anonymat ! ☺
Voilà. Merci de m'avoir lue. N'hésitez pas à me faire part de vos remarques ci-dessous, dans la zone de commentaires.

GIRL ONLINE.

Chapitre 1

Aujourd'hui...

Elliot : Penny ! Devine quoi : Shakespeare n'a pas écrit toutes ses pièces lui-même ! Dingue, non ?

Je soupire en lisant le SMS d'Elliot. Voilà trois heures que j'assiste à la répétition de *Roméo et Juliette* (trois heures de ma vie que je ne récupérerai jamais...) pendant que mon meilleur ami me bombarde de textos sur Shakespeare. C'est sympa, il essaie de me distraire mais, franchement : qui ça intéresse de savoir que Shakespeare a été baptisé en 1564 et qu'il avait sept frères et sœurs ?

— Penny, peux-tu prendre une photo de Juliette se penchant à la fenêtre de sa caravane, s'il te plaît ?

— Oui, monsieur Beaconsfield, je réponds en attrapant mon appareil.

Jeff Beaconsfield est notre prof de théâtre. Il fait partie de ces enseignants qui rêvent d'être copains avec leurs élèves ; alors pour faire cool, il se verse un pot de gel chaque matin sur la tête et réclame qu'on l'appelle par son prénom. C'est lui qui a décidé que notre version de *Roméo et Juliette* se passerait dans un quartier chaud de Brooklyn, et que le fameux balcon de Juliette serait remplacé par une roulotte. Megan, ma meilleure amie au collège, est fan de M. Beaconsfield… qui le lui rend bien en lui confiant tous les premiers rôles. Moi, je trouve ce type un peu bizarre : je ne comprends pas qu'un prof passe son temps à traîner avec des ados. Pourquoi ne se contente-t-il pas de noter des copies, de stresser avant une inspection, et de boire du café en salle des profs ?

Je monte l'escalier menant à l'estrade et m'accroupis aux pieds de Megan. Sur sa tête : une casquette portant l'inscription « SWAG » et, à son cou, au bout d'une chaîne : un énorme pendentif doré en forme de dollar. Croyez-moi : pour rien au *monde* elle n'accepterait de se montrer ailleurs dans une telle tenue ! Voilà qui en dit long sur son adoration pour M. Beaconsfield.

Je m'apprête à prendre la photo quand Megan me souffle :

— Fais gaffe à mon bouton.

— Hein ?

— Mon bouton sur le nez. Je ne veux pas qu'on le voie sur la photo !

Je me décale à droite, et je zoome. De ce côté-ci l'éclairage n'est pas parfait mais, au moins, la pustule est cachée. *Clic !* Je me dépêche ensuite de revenir sur mes pas. En quittant l'estrade, je jette un coup d'œil à la salle. Tous les sièges sont vides, sauf ceux de M. Beaconsfield et de ses deux assistants. Je soupire de soulagement. Je ne supporte pas de me montrer en public et je n'ai jamais compris ceux qui aiment grimper sur scène. Rien qu'y passer en coup de vent pour prendre une photo, ça me met mal à l'aise.

— Merci, Pen, dit M. Beaconsfield alors que je descends les marches.

C'est une autre des habitudes insupportables de « Jeff » : il nous appelle par nos diminutifs.

Mon téléphone bipe au moment où je rejoins mon petit coin à l'écart.

Elliot : À l'époque de Shakespeare, le rôle de Juliette était joué par un homme. Il faut que tu dises ça à Ollie ! J'imagine déjà sa tête ☺

Je lève les yeux vers Ollie et le surprends en train de dévisager Megan.

— « Mais quelle soudaine clarté resplendit à cette fenêtre ? » déclame-t-il avec un faux accent new-yorkais.

Je soupire. Le costume d'Ollie a beau être encore plus ridicule que celui de Megan – il a l'air d'un Snoop Dogg de seconde zone –, il n'en reste pas moins craquant.

Elliot *déteste* Ollie. Il le trouve superficiel et l'a même surnommé le « Selfie Ambulant » ; à vrai dire, il le connaît à peine. Elliot va dans un collège privé et n'a rencontré Ollie que deux ou trois fois, par hasard, à la plage ou en ville.

— Je ne devrais pas être sur la photo, moi aussi ? questionne ce dernier, après son monologue.

Il a prononcé ces mots avec son pseudo-accent américain qu'il ne lâche plus depuis qu'il a obtenu le rôle de Roméo. D'après lui, ce serait une technique utilisée par les comédiens de l'Actors Studio.

— Bien sûr, Ol, répond « Appelez-moi-Jeff » avant de me faire signe. Pen, s'il te plaît ?

Je pose mon téléphone et remonte les marches d'un pas rapide.

— Prends mon meilleur profil, me souffle Ollie.

— Pas de problème. C'est lequel, déjà ?

De sous sa casquette aux initiales « N.Y.C. » cousues de diamants noirs, Gangsta-Roméo me fusille du regard. Je rougis et ajoute :

— C'est pas évident… Tes deux profils m'ont l'air très bien, à moi…

Le sol se dérobe sous mes pieds. Quelle réponse stupide ! Ça ne tourne vraiment pas rond, dans ma tête !

Heureusement, Ollie se déride. Il sourit, ce qui, aussitôt, lui donne l'air beaucoup plus sympa et accessible.

— Mon profil droit.

— Ta droite ou la mienne ?

— Dépêche-toi, Pen ! lance M. Beaconsfield. On ne va pas y passer la journée !

— *Ma* droite, bien sûr, réplique Ollie avec un coup d'œil effaré.

Je fais la photo, les joues écarlates et sans le moindre réglage. Puis je dégage vite fait.

La répétition touche à sa fin – j'ai eu le temps d'apprendre, entre-temps et toujours grâce à Elliot, que Shakespeare s'était marié à dix-huit ans et qu'il avait écrit trente-huit pièces en tout.

Toute la troupe décide d'aller boire un milkshake au Café JB.

Quand nous arrivons au front de mer, Ollie me rattrape.

— Hey, ça va, poulette ? me demande-t-il avec son faux accent américain.

— Euh, ça va, merci…

Il est encore plus beau sans son costume. Ses cheveux blond-surfeur sont ébouriffés juste comme il faut, et ses yeux sont bleus comme la mer. Pour tout dire, Ollie n'est pas vraiment mon style – un peu trop lisse, trop parfait – mais c'est tellement rare que le beau gosse du collège s'intéresse à moi que je ne peux m'empêcher de me sentir troublée.

— Je me demandais…, commence-t-il avec un sourire.

J'imagine aussitôt ce qui va suivre : « … Ce que tu aimes faire en dehors du bahut ?… Pourquoi je ne t'avais pas remarquée jusqu'ici ?… Si tu voudrais bien sortir avec moi ? »

— … Si tu pourrais me montrer la photo que tu as prise tout à l'heure sur scène ? Pour vérifier que je suis bien, dessus.

— Ah… euh… oui. Pas de problème. Je te la ferai voir au café.

Et sur ces mots, je manque de me vautrer dans un trou. Pas un gros trou, mais un accroc tout de même assez profond pour me faire trébucher et me donner l'air aussi distingué qu'une de ces filles qu'on voit, ivres mortes, arpenter les rues de Brighton le vendredi soir. S'il y a une chose que je déteste, dans cette ville, c'est bien ça : la chaussée criblée de trous, dont l'unique raison d'être est de vous faire tomber au pire moment. Je parviens miraculeusement à masquer mon faux pas en esquissant un geste faussement décontracté.

Au Café JB, je m'installe tout au fond, sur la banquette, et Ollie se rue à mon côté. D'un coup d'œil, je repère la mine crispée de Megan et me sens, instantanément, fautive. Cette fille a le don de me faire culpabiliser…

Je détourne les yeux et les promène sur les décorations de Noël habillant la devanture. Il y a des guirlandes rouges et vertes, et un Père Noël mécanique qui lance des « Ho ! Ho ! Ho ! » sonores aux passants. J'adore Noël ; c'est la période la plus apaisante de l'année. Après plusieurs secondes, je ramène mon regard vers la table. Soulagement ! Megan est maintenant focalisée sur son téléphone.

Une idée de note de blog germe dans mon esprit – mes doigts tressaillent.

La vie au collège ressemble à une vaste comédie, dans laquelle chacun joue un rôle. En dehors des cours de théâtre, Ollie ne s'assiérait jamais à côté de moi ; il serait auprès de Megan. Ils ne sont pas ensemble, mais ils appartiennent au même « rang de coolitude ». Megan, par exemple, ne trébuche *jamais* dans la rue. Elle semble mener une vie aérienne et sans embûches, avec ses cheveux bruns et étincelants, son visage parfait et ses lèvres en cul de poule…

Les jumelles Kira et Amara s'installent près d'elle. Elles ont un rôle muet dans la pièce, ce qui ne diffère pas de la manière dont Megan les traite dans la vraie vie : comme de simples figurantes.

— Qu'est-ce que je vous sers ? demande la serveuse en s'approchant de notre table, calepin en main.

Chacun commande un milkshake – sauf Megan qui ne boit que de l'eau – puis Ollie se tourne vers moi.

— Alors ? Tu me montres ?

— Ah oui !

Je sors l'appareil de mon sac et passe en revue les images. Quand son portrait s'affiche, je le tends à Ollie.

— Cool…, commente-t-il, à mon grand soulagement. Elle est bien !

— Je veux voir la mienne ! s'écrie Megan en lui arrachant l'appareil des mains et en appuyant sur tous les boutons à la fois.

Je me raidis. Ça ne me dérange pas de prêter mes affaires – j'ai même donné la moitié de mes chocolats de l'Avent à mon frère, Tom – mais mon appareil photo, c'est *niet* ! Je ne possède rien de plus précieux. Cet objet, c'est… mon filet de sécurité.

— Penny ! s'alarme Megan. Qu'est-ce que c'est que cette *horreur* ! On dirait que j'ai une moustache !

Elle pose brutalement le boîtier sur la table.

— ATTENTION ! je m'exclame.

Megan me toise, puis se remet à tripoter tous les boutons de l'appareil.

— Comment on fait pour effacer cette horreur ?

Cette fois, je lui retire carrément l'objet des mains – avec un peu trop de vigueur car un de ses faux ongles s'ébrèche.

— AÏEUU ! Tu m'as cassé un ongle !

— Et toi, tu aurais pu abîmer mon appareil photo.

— Il n'y a que ce stupide appareil qui compte pour toi ?! riposte-t-elle. Je n'y peux rien si tu as pris une photo aussi moche !

« Et je n'y peux rien si tu m'as demandé de cacher ton bouton ! » est la réplique qui me vient aussitôt à l'esprit, mais je garde le silence.

— Montre-moi ça, intervient Ollie.

Il a à peine posé les yeux sur l'image qu'il éclate de rire. Megan me mitraille du regard et je sens ma gorge se nouer… Une sensation familière, malheureusement. J'essaie de déglutir : impossible. Soudain, je me sens étouffée, emprisonnée, piégée dans ce café.

Pourvu que ça ne recommence pas…

J'ai une bouffée de chaleur, j'arrive à peine à respirer. Les stars, en photo sur les murs, semblent me fixer. D'un coup, la musique paraît stridente, le rouge des sièges m'aveugle. Je ne me contrôle plus ! Mes mains sont moites, mon cœur tambourine.

« Ho ! Ho ! Ho ! » hurle le Père Noël mécanique, mais son rire n'a plus rien de chaleureux.

— Je dois rentrer…, je murmure.

— Et ma photo ? se lamente Megan en rejetant ses longues mèches en arrière.

— Je vais l'effacer, promis.

— Tu ne finis pas ton milkshake ? demande Kira.

Je sors quelques pièces de mon porte-monnaie et les pose sur la table en espérant que personne ne remarquera mon geste tremblant.

— C'est cadeau. J'avais oublié que ma mère m'avait demandé de l'aider à faire un truc...

Ollie me fixe, les yeux ronds, et je crois lire de la déception sur son visage.

— Tu iras faire un tour en ville, demain ? me demande-t-il, sous le regard effaré de Megan.

Je réponds d'une voix faible :

— Oui.

Mon visage me brûle et j'ai tellement chaud que je vois flou.

Il faut que je sorte d'ici, ou je vais tourner de l'œil.

Je dois faire tous les efforts du monde pour ne pas hurler à Ollie de me laisser passer.

— Cool, répond-il en glissant sur la banquette. À demain, alors.

L'une des deux jumelles (laquelle, aucune idée) me demande si je vais bien, mais je ne prends pas le temps de lui répondre. Je me précipite hors du café et me retrouve sur le front de mer. Le cri des mouettes me parvient, suivi d'un éclat de rire. Un groupe de jeunes femmes chemine dans ma direction, les jambes bronzées et perchées sur d'immenses talons. Chacune arbore un tee-shirt rose-Barbie, malgré la température glaciale de ce mois de décembre, et l'une porte un turban de papier toilette. Beurk... Voilà la deuxième chose que je déteste le plus, à Brighton : les enterrements de vie de jeune fille qui s'y déroulent tous les week-ends.

Je traverse la route et file vers la plage. Le vent est d'un froid polaire – exactement ce dont j'avais besoin. Debout sur les galets humides, je fixe la mer jusqu'à ce que le mouvement régulier des vagues apaise les pulsations de mon cœur.

Chapitre 2

Trouver sa mère en robe de mariée dans l'escalier en rentrant chez soi, ça peut être inquiétant... Sauf pour moi – c'est même la routine !

— Bonjour, chérie, me lance-t-elle quand j'entre. Que penses-tu de cette tenue ?

Elle s'appuie contre la rampe, le bras ouvert, ses longues boucles caressant son visage. La robe est magnifique : c'est un modèle ivoire, de coupe Empire, brodée de pâquerettes en dentelle. Mais je me sens tellement mal que je ne peux qu'acquiescer d'un signe de tête.

— C'est pour un mariage dont le thème sera le festival de Glastonbury, explique maman en descendant les marches pour m'embrasser. Elle est belle, non ? Bien dans l'esprit « champêtre »...

Son parfum fleuri embaume le vestibule.

— Moui..., je marmonne, avec un effort. Très jolie.

— Jolie ? Tu veux dire qu'elle est somptueuse, sublime...

— Allons, ce n'est qu'une robe ! l'interrompt papa en surgissant à son tour dans l'entrée.

Il m'adresse un sourire complice, accompagné d'un haussement de sourcils et je lui réponds d'un clin d'œil. J'ai beau ressembler à ma mère physiquement, j'ai tout pris de mon père au niveau de la personnalité. Lui et moi, on est des pragmatiques.

— Comment s'est passée ta journée, Pen ? me demande-t-il en posant une bise sur mes deux joues.

— Bien...

Je rêverais d'avoir cinq ans pour me blottir dans ses bras, et qu'il me lise une histoire...

— Comment ça, « bien » ? questionne-t-il en m'observant, les paupières plissées. « Bien... *bien* », ou « bien... bof » ?

— « Bien *bien.* »

J'ai eu ma dose d'émotions pour aujourd'hui, inutile d'en ajouter...

— Penny, intervient maman, s'admirant à présent dans le miroir du hall d'entrée, pourras-tu venir donner un coup de main au magasin demain ?

— Oui. Quand ?

— Seulement deux heures dans l'après-midi, le temps du mariage.

Maman et papa dirigent une société qui s'occupe d'organiser des mariages à thème. Leur agence s'appelle *Être et aimer*, et se situe en centre-ville. Ils ont monté cette affaire quand maman a mis un terme à sa carrière de comédienne pour s'occuper de mon frère et de moi. Elle se fait un devoir d'essayer toutes les robes qu'elle vend à ses clientes... J'ai toujours pensé que c'était un vestige de son goût pour les costumes.

— On dîne dans combien de temps ? je demande.

— Dans une heure environ, répond papa. Ce soir, c'est hachis parmentier.

Sa spécialité ! Je me régale d'avance. Voilà exactement ce qu'il me fallait.

Je monte dans ma chambre en attendant l'heure du repas. Au premier, je passe devant la chambre de mes parents, puis devant celle de Tom. Un refrain de rap s'en échappe, et je souris. Avant son entrée à la fac, je détestais les goûts musicaux de mon frère... Mais maintenant qu'il passe la plupart du temps sur le campus, je suis heureuse d'entendre des sons s'élever de sa chambre : ça veut dire qu'il est rentré pour les vacances. En passant devant sa porte, je lance :

— Salut, Tom-Tom !

— Hello, Pen-Pen !

Ma chambre se situe au dernier étage. C'est la plus petite mais ça m'est égal, parce qu'avec son plafond mansardé et ses poutres, c'est aussi la plus confortable. Surtout, elle est si haut perchée que, depuis la fenêtre, j'aperçois la Manche. Même quand il pleut, même en pleine nuit, savoir que la mer est toute proche m'apaise. J'allume la guirlande de loupiotes qui encadre mon miroir, et deux bougies à la vanille. Puis je m'assois sur mon lit.

Maintenant que je suis chez moi, en sécurité, je peux repenser à ce qui m'est arrivé au Café JB. C'est la troisième fois que je vis ce genre de malaise : la première, j'ai cru à un phénomène isolé ; j'ai mis la deuxième sur le compte de la malchance. Mais au bout de trois alertes...

Je me glisse sous ma couette et laisse mon corps se réchauffer. D'un coup, une image me vient en tête : la tente de couvertures et de coussins que m'avait fabriquée ma mère quand j'étais petite... J'adorais m'y réfugier, avec une pile de livres et une lampe de poche. Je pouvais y rester des heures !

Mes paupières se ferment quand trois coups retentissent contre le mur de ma chambre. C'est Elliot ! Je me redresse aussitôt et réponds de la même façon : « *Toc ! Toc !* »

Elliot et moi, on est voisins depuis toujours. Pas seulement voisins de maisons mais aussi voisins de *chambres* – le top ! Pour communiquer, on a inventé un code : trois coups signifient : « Je peux venir te voir ? » ; deux : « Oui, je t'attends. »

Je saute de mon lit et troque ma tenue de cours contre un survêt. Elliot déteste les survêts. Il répète à qui veut l'entendre que « l'inventeur de telles horreurs mérite d'être pendu par les pieds à la jetée de Brighton ». Parce qu'il faut le dire : Elliot est *très* porté sur la mode... Pas le genre « *fashion victim* », mais plutôt « j'assortis-plein-de-vêtements-de-styles-différents-et-ça-fait-trop-cool ». J'adore le prendre en photo avec son look déjanté.

La porte claque et je jette un regard dans la glace... Je soupire de découragement. Cette fois, ce ne sont pas mes taches de rousseur qui me dépriment (je les distingue à peine à la lueur des bougies) mais mes cheveux. Ce n'est déjà pas facile d'être rousse – ou d'après Elliot : « blond vénitien »... –, il faut *en plus* que je me coltine ces immondes frisottis. Je renonce à me coiffer. Après tout, Elliot ne me jugera pas ; c'est mon meilleur ami, et puis il m'a vue quand j'avais la grippe et que j'ai passé une semaine sans prendre la moindre douche !

J'entends maman échanger quelques mots avec lui dans l'entrée, et j'imagine déjà la scène : à tous les coups, Elliot est tombé en *admiration* devant sa robe de mariée ! De toute façon, il adore ma mère et tout ce qu'elle fait, et elle le lui rend bien – comme toute ma famille, d'ailleurs. Ses parents à lui sont avocats et ils travaillent non-stop, même le soir et le week-end. Une fois, Elliot m'a confié qu'il se demandait s'il n'avait pas été échangé avec un autre bébé à la maternité tellement il se sent différent de ses parents. Et c'est vrai qu'ils ne comprennent rien à leur fils... Le jour où il a fait son coming-out, son père a rétorqué : « Ça te passera. » Comme si être homo était une lubie !

Des pas résonnent dans l'escalier et la porte de ma chambre s'ouvre.

— Lady Penelope ! lance Elliot, tout sourire.

Il porte une veste rayée, un pantalon à bretelles et des Converse rouges – ce qui, pour lui, est une tenue décontract'.

— Lord Elliot ! je m'exclame en retour – je précise qu'on a passé le week-end dernier à regarder *Downton Abbey*.

Il me fixe à travers ses lunettes style sixties, et déclare de but en blanc :

— Toi, y a quelque chose qui ne va pas !

À croire qu'il lit dans mes pensées ! Je joue néanmoins les incrédules :

— Non, non, tout va bien…

— Pen, tu as une mine de déterrée et tu es en survêt : chez toi, ce sont des signes de déprime.

Il me rejoint sur mon lit et m'observe d'un œil soucieux.

— J'ai… j'ai eu une nouvelle crise d'angoisse…

— Quand ? demande-t-il en passant le bras autour de moi. Et où ?

— Au Café JB.

— Alors tout s'explique…, ricane-t-il. Moi aussi, cet endroit me fait flipper ! Mais sans blague, raconte ce qui s'est passé.

Je lui fais le récit de ma crise, et à chaque phrase, je me sens plus gênée. Avec du recul, cet accès de panique semble ridicule…

— Moi, réagit Elliot, ce que je ne comprends pas, c'est que tu traînes avec Megan et Ollie.

— Ça n'a rien à voir avec eux… C'est moi. Tout me stresse… La première fois, d'accord… Mais maintenant ?

— Pourquoi ne pas en faire un post ?

Elliot est le seul à savoir que je tiens un blog.

— Tu crois ? Le sujet est un peu plombant…

— Justement, et ça t'aiderait à extérioriser ! Sans compter que certains de tes lecteurs vivent peut-être la même chose. Rappelle-toi la fois où tu as parle de ta maladresse…

C'était il y a six mois, j'ai raconté comment j'étais tombée la tête la première dans une poubelle en pleine rue, et mon blog est passé de 202 à 1 000 followers en une semaine ! C'était la première fois que j'avais autant de partages et de commentaires.

J'observe Elliot et admets :

— Mouais, t'as pas tort…

Il sourit et réplique :

— Chère Lady Penelope, votre Lord n'a *jamais* tort.

15 décembre

Au secours !

Salut tout le monde !
Merci beaucoup pour vos commentaires sur mes dernières photos. Je suis ravie que vous appréciiez autant que moi les brocantes et autres lieux originaux !
Aujourd'hui, vous allez lire une note un peu différente... Elle n'était pas facile à partager parce qu'elle concerne quelque chose de très *très* personnel. Lorsque j'ai démarré ce blog, j'ai promis d'y être 100 % sincère, seulement je ne savais pas à cette époque que vous seriez si nombreux à le suivre – quand je pense que vous êtes 5 432 à me lire... ça me donne le vertige ! Mais j'ai confiance en vous, et Wiki pense que ça me ferait du bien d'extérioriser, alors je me lance.
Il y a un mois, j'ai eu un accident de voiture. Personne n'est mort (c'est le plus important !), n'empêche que j'ai vécu un des pires moments de ma vie.

Je rentrais à la maison avec mes parents. C'était le soir et il pleuvait à verse. Les essuie-glaces étaient au max, mais ça ne changeait rien. On se serait crus dans un tsunami. On venait d'entrer sur une quatre voies quand une voiture nous a coupé la route. Après, je ne sais pas exactement ce qui s'est passé, mais je crois que mon père a pilé et braqué le volant, sauf que la route était tellement glissante qu'on a heurté le terre-plein central... et la voiture a fait plusieurs tonneaux.
Jusqu'à ce jour, je n'ai jamais rien vu de tel, à part au cinéma. Sauf que, dans les films, les tonneaux se terminent toujours en explosion. Je ne pensais donc qu'à une chose : « On va mourir ! » Je criais sans arrêt « MAMAN ! PAPA ! », et je les entendais m'appeler aussi. Mais j'étais bloquée à l'arrière, seule, piégée et la tête en bas. Heureusement, quelqu'un avait assisté à l'accident et s'est arrêté pour nous aider. Il a appelé les secours qui sont très vite arrivés. Des policiers nous ont ramenés à la maison et on a passé le reste de la nuit tous les trois, au salon, à boire du thé.
Aujourd'hui, cet épisode est de l'histoire ancienne. Mes parents n'aiment pas trop en reparler, et ils ont acheté une nouvelle voiture. Tous ceux qui savent ce qui nous est arrivé m'ont dit : « Heureusement qu'il n'y a pas eu de blessé ! » Bien sûr, c'est le plus important... Mais le fait de ne pas avoir de plaies *visibles* ne signifie pas pour autant que tout va bien. C'est à l'intérieur, que j'ai été broyée.
Depuis cet accident, j'ai des crises d'angoisse. Quand une situation m'inquiète, j'éprouve la même sensation d'oppression que celle que j'ai ressentie dans la voiture.

J'ai des bouffées de chaleur, je tremble et j'ai du mal à respirer. Ça s'est déjà produit trois fois, et j'ai tout le temps peur que ça recommence. Je suis démunie.
J'espère que vous ne m'en voulez pas trop de vous raconter tout ça. Je promets de revenir à mes sujets habituels dès la semaine prochaine ; je mettrai aussi plein de photos de mon café préféré (*Choc-Ouhlà !*) ! Mais, si certains d'entre vous sont, comme moi, victimes de crises d'angoisse, je les invite à commenter ci-dessous. Je suis preneuse de tout conseil et de toute astuce ! Déjà que je détiens le titre de « Catastrophe Ambulante », je me passerais bien de celui de « Stressée de Service » ! Merci !

GIRL ONLINE

Chapitre 3

Le lendemain matin, je me réveille au cri des mouettes. Les rayons pâles du soleil d'hiver filtrent à travers mes rideaux. Et c'est plutôt une bonne nouvelle ! Ces derniers temps, je me réveillais tellement tôt que le jour n'était même pas levé.

Elliot a raison – ça m'a fait du bien de raconter mon histoire sur mon blog. Au début, j'étais un peu anxieuse mais au bout de trois phrases, les pensées et les émotions que je gardais enfouies depuis l'accident ont jailli. J'étais tellement vidée, une fois le post publié, que j'ai fermé mon ordinateur et me suis mise au lit.

Je me frotte les yeux et mon regard arpente ma chambre. Comme le disent parfois mes parents pour me taquiner : « À quoi bon mettre du papier peint dans cette pièce vu que chaque centimètre de mur est couvert de photos ? » D'ailleurs, depuis qu'il n'y a plus de place sur les murs, j'accroche mes clichés à une sorte de fil à linge au-dessus de mon lit. La plupart des images montrent Elliot faisant le pitre à la plage. Il y a aussi ma photo préférée : celle de maman, papa et Tom, assis au pied du sapin à Noël dernier, chocolat chaud en main. J'adore saisir ces petits instants de bonheur... C'est ce qui fait ma passion de la photo.

Dès que j'allume mon téléphone, dix, vingt, trente notifications retentissent. Je clique sur ma boîte mail : toutes sont des commentaires sur mon blog, postés pendant la nuit. J'ouvre mon ordi, le cœur battant. Mes lecteurs m'ont toujours gratifiée d'adorables retours, mais à chaque nouvelle publication, j'ai peur que le vent ne tourne. Et s'ils n'avaient pas apprécié mon post d'hier ? Ils l'ont peut-être trouvé trop impudique... ou trop grave ?

Mon œil scanne la page : les mots « merci », « courageuse », « honnête », « amour » reviennent sans cesse. Ouf ! Je prends une inspiration et remonte au premier commentaire pour lire chaque message en entier. Au bout de deux phrases, les larmes me montent aux yeux.

Merci de partager ton expérience avec nous...

On dirait que tu souffres de crises d'angoisse. Je connais ça... Je pensais être un cas isolé mais grâce à toi, je me sens moins seule...

Je comprends que tu aies été bouleversée par cet accident... Merci pour ta sincérité.

Tu as testé la relaxation ?

Bravo d'oser aborder ce sujet. C'est très courageux.

La liste se déroule et, plus je lis, plus je me sens entourée de douceur et d'amour. C'est réconfortant de savoir que d'autres souffrent des mêmes problèmes. Ça prouve que je ne suis pas folle... Et qu'il existe toutes sortes de techniques pour aller mieux ! Enfin un peu d'espoir !

J'entends la porte de la chambre de mes parents, puis le bruit de leurs pas sur le palier. Je souris en pensant à papa qui s'apprête à préparer le traditionnel « Petit-déjeuner du Samedi » – à toujours écrire avec des majuscules parce que c'est un événement de la plus haute importance ! Au menu : œufs, bacon, trois différentes sortes de saucisses, pommes de terre sautées, tomates au four, le tout saupoudré d'herbes aromatiques et accompagné de délicieux pancakes... Rien qu'à y penser, mon ventre gargouille !

Je tape cinq coups contre le mur – le code qui veut dire : « T'es réveillé ? » Elliot répond de trois coups (« Je peux venir te voir ? »). Ma réponse : « Oui, je t'attends. »

Je soupire et mes épaules se détendent. Tout va s'arranger. Mes crises d'angoisse sont dues à l'accident, et elles s'estomperont progressivement. Bientôt, je redeviendrai moi-même. En attendant, place au « Petit-déjeuner du Samedi » !

— Œufs brouillés ou au plat, Elliot ? demande mon père.

Il arbore sa tenue de cuistot du samedi matın : un sweat à capuche, un jean et un tablier rayé blanc et bleu.

— Brouillés comment ?

La question peut sembler bizarre, mais pas quand on parle des œufs de papa. Il connaît cent recettes différentes, et les maîtrise chacune à la perfection.

— Aujourd'hui, cher monsieur, répond-il en jouant les maîtres d'hôtel, pour votre meilleur agrément, nous vous proposons notre spécialité : œufs brouillés aux oignons et fines herbes.

— Yes ! s'exclame Elliot en levant la main pour le checker.

Papa réplique avec sa spatule.

Elliot est en pyjama et robe de chambre en soie. Il paraît sorti tout droit d'un film des années cinquante. Ne manque que la pipe !

Je me sers en jus d'orange quand Tom entre dans la pièce. Mon frère levé avant neuf heures, un samedi matin, c'est LA preuve que le « Petit-déjeuner du Samedi » est une *tuerie* que personne ne saurait louper. Cela dit, il est levé, en effet, mais réveillé… c'est une autre histoire.

— Salut ! je lance.

— Hmmm…, marmonne Tom en s'affalant sur une chaise, et plongeant la tête dans ses bras.

— Ouh là, intervient Elliot, toi il te faut de la caféine !

Mon frère soulève la tête juste assez pour prendre une gorgée de café fumant.

— Hmmm…, émet-il de nouveau, les yeux mi-clos.

— Bonjour tout le monde ! chantonne maman en surgissant à son tour.

Elle est déjà habillée car elle part ouvrir la boutique juste après le petit-déjeuner. Et, comme toujours, elle est radieuse : une robe droite émeraude, parfaitement assortie à ses boucles auburn. Moi, quand je porte du vert, je ressemble plutôt à un sapin de Noël…

Elle fait le tour de la table en déposant un baiser sur la tête de chacun, sauf papa qu'elle embrasse dans le cou.

— Tu sens bon, mon amour…, murmure-t-il en se contorsionnant pour l'enlacer.

Tom, Elliot et moi détournons le regard. C'est sympa d'avoir des parents qui s'aiment tant, surtout comparés à ceux d'Elliot qui s'adressent à peine la parole, mais leurs étreintes sont parfois gênantes…

Après une dernière caresse sur les cheveux, maman s'assoit à mon côté.

— Toujours OK pour aider Andrea au magasin cet après-midi ?

J'acquiesce, puis demande à Elliot :

— Ça te dit d'aller faire du shopping, ce matin ?

Tom pousse un gémissement. Il déteste tout ce qui concerne le shopping et la mode – comme le prouvent l'horrible maillot de foot orange et le bas de jogging rouge qui lui servent de pyjama.

Elliot, lui, accueille ma proposition avec joie. Je profite de cet enthousiasme pour tirer un peu sur la ficelle :

— Et aux jeux d'arcade du front de mer ?

— Jamais de la vie ! proteste-t-il aussitôt.

Maman se lève pour prendre du sirop d'érable dans le placard, et Elliot me souffle :

— Au fait, bravo pour ta nouvelle note de blog ! Tu as vu tous les commentaires ?

J'acquiesce en souriant fièrement.

— Je t'avais dit que ça marcherait…

— Qu'est-ce qui marche ? demande ma mère en se rasseyant.

— Rien, rien…, je m'empresse de répondre.

— Ma montre, prétend Elliot. Elle marche à merveille.

Deux heures plus tard, Elliot et moi sommes aux jeux d'arcade du front de mer.

— Franchement, s'agace-t-il, assez fort pour que je l'entende par-dessus la musique électronique criarde, je ne vois pas ce que tu trouves à ces jeux débiles ! Ils n'ont *aucun* intérêt !

Je glisse deux centimes dans l'ouverture et, les mains jointes, observe les mouvements du plateau chargé de monnaie de l'autre côté du Plexiglas. Il vibre mais ne cède pas sous le poids des pièces. Je pousse un soupir.

— Ils n'ont aucun intérêt ! je réplique. Un peu comme Myspace… ou comme les frites.

Je glisse une seconde pièce et chantonne dans ma tête pour ne pas entendre la complainte d'Elliot. C'est alors que le plateau bascule et... jackpot ! J'applaudis la monnaie qui se déverse dans le bac.

— Yeah ! je m'exclame en serrant Elliot dans mes bras, rien que pour l'agacer encore plus.

Il affiche un air renfrogné mais je vois, à l'étincelle dans son œil, qu'il se retient de sourire.

— Bravo..., fait-il tandis que j'écope l'argent. Il doit bien y avoir cinquante centimes en tout ! Qu'est-ce que tu vas bien pouvoir faire de toute cette fortune ?

— Mettre ma famille à l'abri du besoin, je réplique avec un faux air sérieux. Puis je m'offre une Mini décapotable et ensuite, j'achète un sens de l'humour à mon ami Elliot Wentworth.

Il fait mine de me taper, et j'esquive son geste en riant.

— Allez, je lance, un peu de lèche-vitrines dans les Lanes avant que j'aille travailler !

Les Lanes sont mon quartier préféré de Brighton – à part le front de mer, bien entendu. Arpenter ce labyrinthe de ruelles pavées, jalonné d'échoppes pittoresques, c'est comme voyager deux siècles en arrière.

— Tu savais que cette brasserie s'appelait autrefois *Le Poisson et la livre* ? demande Elliot quand nous passons devant un vieux pub.

— *Le Poisson et* le *livre*, je corrige, tout en observant une fille qui s'avance vers nous (avec son grand chapeau de feutre et son pantalon à motifs, elle a un look d'enfer !).

L'envie me démange de la prendre en photo, mais trop tard, elle a déjà disparu.

— Non, pas *le* livre : *la* livre, insiste Elliot. Une livre est une unité de mesure qu'on utilise pour les produits de la mer. Ça remonte à l'époque où Brighton était un village de pêcheurs.

Elliot est un vrai Wikipédia ambulant – c'est même pour ça que je lui ai donné le pseudonyme « Wiki » sur mon blog. Je ne sais pas *comment* il fait pour retenir autant de choses !

Mon téléphone bipe. C'est un SMS de Megan. Aussitôt, je repense à ce qui s'est passé hier au Café JB, et mon cœur bat plus vite.

Megan : Coucou ! Toujours partante pour ce soir ? Bisous

J'avais complètement oublié ! En début de semaine, je lui avais proposé de venir dormir chez moi, comme quand on était petites. C'était à moitié pour blaguer, à moitié pour renouer avec notre amitié d'avant, quand tout était plus simple et plus léger.

— C'est qui ?

— Megan, je marmonne en espérant qu'il n'entendra pas.

— Hein ? Qu'est-ce qu'elle veut encore ?

— Savoir si je suis toujours partante pour ce soir.

— Il se passe quoi, ce soir ?

— Je lui ai proposé de venir dormir à la maison.

— Euh… Penny, je te rappelle que tu es en troisième.

Je rougis.

— Oui, je sais. Je ne pensais pas qu'elle accepterait.

— Alors pourquoi lui avoir proposé ?

— Je me suis dit que ce serait sympa…

— Pfff…, soupire Elliot. Aussi sympa que de me retrouver coincé un samedi soir avec mes parents… Ce à quoi tu viens de me condamner !

— Désolée…

Je passe le bras sous le sien. Il porte un manteau en laine style seventies, bien chaud et bien douillet.

— Pas grave. J'ai un exposé d'histoire pour lundi, ça m'obligera à m'y mettre. Tiens ! Tu savais que cette bâtisse, là-bas, était autrefois le dispensaire de Brighton ?

Voilà pourquoi j'aime Elliot : il ne reste jamais fâché plus de trois secondes. Si seulement tout le monde était comme lui !

Alors que nous passons devant *Choc-Ouhlà !* un jeune couple sort du café, laissant s'échapper un délicieux parfum de cookies.

— Il me reste une demi-heure avant d'aller aider Andrea à la boutique. On s'arrête chez *Tic Tac* pour boire un chocolat chaud ?

— Évidemment, quelle question ! réplique Elliot sans attendre.

Nous cheminons vers *Tic Tac* et entrons. C'est ici qu'on boit le meilleur chocolat chaud de Brighton. Pendant qu'Elliot va commander nos boissons et une part de gâteau au comptoir, je choisis une table et réponds à Megan.

Penny : Bien sûr. Viens vers 20 h. Bises

Elliot ne tarde pas à me rejoindre.

— Devine quoi… Ils font un nouveau cupcake : fraise-café ! Je t'en prends un ?

J'acquiesce. Même après un « Petit-déjeuner du Samedi », il me reste toujours de la place pour un cupcake !

Tandis que mon ami regagne le comptoir, je me recule dans ma chaise et laisse la chaleur ambiante m'imprégner. La porte s'ouvre alors, et un jeune homme fait son entrée. C'est Sebastian, le frère aîné d'Ollie et sur ses talons… : Ollie. J'attrape la carte des desserts et fais semblant de m'y absorber. En vain.

— Penny !

Je lève les yeux : Ollie est posté devant moi et m'observe avec un grand sourire… Son fameux sourire super craquant.

Il prend place à ma table sous le regard glacial de son frère qui m'observe depuis la queue. Sebastian a deux ans de plus que nous, et c'est un des garçons du lycée les plus populaires – l'un des plus arrogants aussi. Il a la réputation d'être une bête en tennis, il a même remporté le tournoi régional cette année et raconte à tout le monde qu'il a aidé Andy Murray à perfectionner son revers.

— Je te prends quoi ? lance-t-il à son frère d'un ton sec.

— Un milkshake au chocolat !

— Sérieux ? rétorque Sebastian, plein de mépris. Me dis pas que tu veux aussi des perles de sucre ?!

Ollie acquiesce. C'est la première fois que je le vois aussi gêné, et il me fait un peu pitié.

— T'es vraiment qu'un gamin…, rétorque l'autre, en secouant la tête.

— Bon, prends-moi plutôt un Expresso, réplique Ollie, les joues écarlates ; puis il se tourne vers moi : C'est drôle de se croiser, Penny. Je viens justement de demander ton numéro à Megan.

— Vraiment ? réponds-je d'une voix ridiculement haut perchée.

Je toussote pour rectifier le tir. J'ajoute :

— Pourquoi ?

C'est pire ! Maintenant, j'ai une voix d'homme ! Si seulement je pouvais me cacher sous la table pour masquer mes joues cramoisies !

— Parce que je voudrais t'inviter à déjeuner demain.

Je le dévisage. Je dois être en train de rêver… Je me pince sous la table… un peu trop fort.

— Aïe !

Ollie m'adresse un coup d'œil intrigué.

— Qu'est-ce qui se passe ?

— Rien… Je…

— Tu t'es fait mal ?

— Oui. C'était… euh… Je…

Vite, vite ! Trouver une excuse !

— … Je me suis fait piquer.

— Piquer ? Par quoi ?

— Euh… Par une puce.

NONONONONONON !

— Pas une vraie puce, bien sûr ! Comme si j'avais des puces… Mais on aurait dit une piqûre de puce, voilà tout…

Je m'enfonce dans mon siège, ce qui fait grincer le revêtement en cuir… On dirait un bruit de pet !

— C'est pas moi ! je m'exclame aussitôt, c'est ma chaise !

Pourquoi faut-il toujours que je choisisse LA chaise avec coussin péteur intégré ?!

Je remue pour reproduire le son et prouver à Ollie que je n'ai pas pété… Bien entendu, impossible d'obtenir le même bruit.

Ollie me scrute. Puis il renifle l'air… Au secours ! Il croit vraiment que j'ai lâché un gaz en plein lieu public ! Et que j'ai des puces, en plus !

Si seulement un astéroïde pouvait s'écraser sur le café *Tic Tac*, là, maintenant, tout de suite… En désespoir de cause, et sans même regarder ma montre ou mon téléphone, je m'écrie :

— Eh, t'as vu l'heure ! Il faut que j'aille travailler !

Je me lève précipitamment.

— Et pour demain ? demande Ollie.

— Euh, oui, c'est d'accord, avec plaisir, on fixe le rendez-vous par texto.

Enfin des paroles qui me donnent un air à peu près digne ! Sauf qu'en prenant mon manteau et celui d'Elliot, je trébuche sur la frange de mon écharpe et m'effondre sur la serveuse. Les verres de son plateau se fracassent sur le sol, et un silence de mort s'abat sur le café. Tous les regards se braquent sur moi.

— On file ! je souffle à Elliot en clopinant vers lui.

— Et nos chocolats ?

— Apporte le mien à la boutique. Cas de force majeure !

Je lui lance son manteau et me précipite dans la rue.

Chapitre 4

Mon visage cramoisi met deux bonnes heures à retrouver sa couleur normale. Quand j'ai raconté ma mésaventure à Elliot, il a éclaté de rire. Selon lui, j'aurais dû dire à Ollie : « Les gaz, vaut toujours mieux que ça sorte ! »

Il ne comprend pas... C'est la première fois que je suis aussi près de sortir avec un garçon. Je dois être la seule fille sur terre à dire au garçon qui lui plaît qu'elle a des puces et des flatulences.

Installée à la caisse d'*Être et aimer*, je surveille la boutique. Andrea est affairée avec une cliente, qui peine à se décider entre un mariage « Barbie » et un mariage « Cendrillon ». Le fiancé de la jeune femme est affalé dans un fauteuil, visiblement dégoûté qu'on n'ait pas retenu son thème « Formule 1 ».

Il n'est que quinze heures, mais le soleil commence déjà à décliner. Dehors, les passants avancent tête baissée, luttant contre le vent. Je ne suis pas plus mal ici, même si c'est pour travailler ; d'ailleurs, mes après-midis à *Être et aimer* ne sont pas vraiment du travail. Maman en a fait un lieu aussi ravissant qu'agréable avec ces bougies parfumées et cette musique d'ambiance très douce. Les légers craquements du disque en vinyle apportent un petit plus, surtout quand ce sont des chansons d'amour. Impossible de sortir de notre boutique sans avoir des cœurs plein la tête… sauf, bien sûr, quand on vient de dire à un garçon qui nous plaît qu'on a des puces. Et des gaz.

Oublie cette humiliation…

Pour me changer les idées, je vérifie la vitrine. Maman en change toutes les deux semaines pour mettre en avant le thème du moment. Actuellement, c'est « *Downton Abbey* », et le mannequin porte une robe à col cheminée et longues manches en dentelle. La broche semble un peu de travers, alors je grimpe derrière la devanture pour la repositionner. Quand je me retourne, je constate qu'un couple est posté derrière moi, sur le trottoir. La jeune femme contemple la robe et, sur ses lèvres, je lis les mots : « Comme c'est beau ! »

Je retourne à la caisse quand retentit le léger carillon de la porte. Le couple entre dans la boutique.

— Je peux vous renseigner ?

— Hello, réplique la femme avec un fort accent américain. Cette tenue est magnifique !

Tous deux me sourient de leurs dents droites et blanches. L'homme enchaîne :

— Vous faites les mariages à l'étranger ?

Il s'approche, et je sens son parfum. Cela n'a rien d'une lotion après-rasage bas de gamme, comme celle que porte Tom ; c'est une senteur puissante, élégante et épicée. Le genre de fragrance qui doit coûter cher...

Des mariages à l'étranger ? Bonne question... Maman en a déjà organisé, mais seulement pour des amis.

— Vous pourriez me donner des détails ? je demande.

— Nous devons nous marier avant Noël, explique l'homme, avant de préciser : Oui, avant *ce* Noël. C'est-à-dire la semaine prochaine. Sauf que la personne chargée de l'organisation nous a lâchés ce matin...

— Il s'est enfui avec la fiancée de son dernier mariage ! s'exclame la jeune femme.

Je réprime un sourire et me contente de répliquer :

— C'est horrible...

— Surtout que nous sommes venus en Angleterre pour notre travail, il nous est donc impossible de trouver un nouveau prestataire chez nous... Nous nous étions résolus à tout annuler, et puis nous sommes tombés sur votre magnifique vitrine « *Downton Abbey* ». Cette série cartonne aux États-Unis !

— Alors on se demandait, poursuit le fiancé, pourriez-vous prendre le relais ?

Je m'empresse de répondre :

— Je suis la fille de la directrice. Elle n'est pas là pour le moment, mais je lui dirai de vous rappeler dès que possible.

— Très bien. Je m'appelle Jim Brady. Voici mes coordonnées.

Il me tend une carte de visite au toucher soyeux et aux lettres embossées.

— Et moi, je suis Cindy Johnson – future Mme Brady.

— La salle est déjà réservée, bien sûr précise Jim, vous seriez donc chargés du reste : la décoration, les tenues, le repas…

— Nous nous marions à New York, à l'hôtel Waldorf-Astoria, explique Cindy.

À son air fier, je comprends que l'adresse est prestigieuse.

— Un vrai mariage de conte de fées ! dis-je avec un sourire.

— Oh, j'adore cet accent *so british* ! s'exclame Cindy avant de se tourner vers son fiancé. Chéri, pour aller avec notre thème *Downton Abbey*, on pourrait échanger nos vœux en prenant l'accent anglais !

— Pen ! lance papa dès que j'ai passé la porte du salon. Quelle est la différence entre un babouin et un voleur ?

Tom et lui sont affalés sur le canapé devant un match de foot. Un grand bol de pop-corn trône sur la table basse. Voilà ce qui se passe quand on les laisse seuls à la maison…

— Ne réponds pas ! supplie mon frère. Tu le regretteras jusqu'à la fin de tes jours !

— Mais non, proteste papa en me faisant signe de venir m'asseoir. Penny partage mon sens de l'humour très fin !

Il a raison, lui et moi avons le même sens de l'humour. En revanche, je n'aurais pas choisi la qualification « très fin »...

Je répète la devinette :

— ... La différence entre un babouin et un voleur ?

— Noooooon ! se désespère Tom en fourrant sa tête dans un coussin.

— Aucune, réplique mon père, les yeux brillants, parce qu'ils ont tous les deux la « peau lisse » aux fesses !

Nous échangeons un regard avant de nous esclaffer. Un long gémissement s'élève de sous le coussin.

Notre fou rire passé, papa me demande :

— Alors, quoi de neuf, au magasin ?

— Rien de spécial...

Une ombre voile son regard. La plupart des mariages ont lieu l'été, l'hiver est donc la saison creuse. Sauf que cette année, elle est plus creuse que d'habitude...

— Ah si ! je m'exclame soudain en me rappelant la visite des Brady. Un couple d'Américains est venu demander si vous pourriez vous occuper de leur mariage à New York !

— Vraiment ?

— Oui, ils sont intéressés par le thème *Downton Abbey* ! Ils ont prévu de se marier avant Noël mais leur prestataire les a lâchés. Il est parti avec la fiancée du dernier mariage...

Cette fois, c'est à Tom d'éclater de rire.

La porte claque et la voix de maman résonne dans l'entrée :

— On s'amuse bien, ici, à ce que je vois. Qu'y a-t-il de si drôle ?

Il n'en faut pas plus à papa :

— Quelle est la différence entre... ?

— NON ! s'égosille Tom. Pas cette blague toute pourrie ! Écoute plutôt celle-ci : « Pourquoi un couple d'Américains a-t-il dû annuler son mariage ? »

Maman nous regarde comme une bande de fous.

— Parce que leur *wedding planner* s'est enfui avec la mariée !

— Qu'est-ce qu'il raconte ? questionne ma mère, mi-éberluée, mi-amusée.

Je lui explique pour Cindy et Jim, sans oublier de préciser :

— Ils ont réservé une salle dans un hôtel appelé « Waldorf-Astoria ».

Maman et papa haussent les sourcils.

— Le *Waldorf-Astoria* ?

— À New York..., ajoute ma mère, les yeux rêveurs.

Je lui tends la carte de Jim.

— Tu dois les appeler dès que possible. Je sais qu'on ne fait pas de mariages à l'étranger, d'habitude, mais je me suis dit que tu préférerais décider toi-même. J'espère que j'ai bien fait ?

— Oh que oui, chérie, assure maman en me serrant contre elle.

Mon téléphone bipe à cet instant.

Elliot : La déprime... Mon père vient de me demander si j'ai une COPINE ! Je vais devoir accrocher une banderole sur le ponton pour lui faire comprendre… Allez, bonne soirée avec Meg-arce ! ☺

Je réponds sans attendre :

Penny : À ce stade, c'est grave ! Tu devrais suggérer à Choc-Ouhlà ! de baptiser sa prochaine pâtisserie « Monsieur-Wentworth-votre-fils-est-gay ».

Nouveau message. Mais cette fois, d'un numéro inconnu :

Salut Pen, RDV à Lucky Beach demain vers midi ? Bise. Ollie.

Impossible de détacher mes yeux de l'écran. Ollie n'a pas été découragé par notre entrevue catastrophique chez *Tic Tac* ? Il veut toujours déjeuner avec moi ?!! Moi, la Catastrophe-Ambulante-qui-se-fait-passer-pour-une-pestiférée-pleine-de-puces-et-de-gaz ! J'ai la sensation de planer… C'est mon premier rendez-vous galant !

Chapitre 5

Le meilleur remède contre toute joie liée au fait que vous avez décroché votre premier rencard est la vision de votre meilleure amie avachie sur votre lit, l'air maussade, le regard dans le vide. Megan est arrivée il y a vingt minutes, et chaque phrase que j'ai prononcée a été accueillie par un haussement d'épaules ou un « non merci » pincé. À quoi bon venir si c'était pour bouder toute la soirée ? Je crois qu'elle m'en veut de lui avoir cassé un ongle hier au Café JB…

Je suis vraiment stupide de l'avoir l'invitée à dormir… On n'a plus dix ans ! Megan et moi, nous sommes amies depuis le premier jour de collège, quand le prof principal nous a placées côte à côte en cours de maths. Au départ, j'avais surtout peur de la solitude – j'étais persuadée que je ne me ferais jamais d'amis au collège. Puis notre amitié s'est développée.

Mon meilleur souvenir remonte à quand nous avions douze ans et que Milo, mon chien, est mort :

dès qu'elle a appris la nouvelle, Megan a rappliqué chez moi les bras chargés de cadeaux, dont un poème intitulé *Pattes d'amour* et une photo encadrée de Milo. Elle était comme ça : affectueuse et généreuse. Puis elle s'est mise au théâtre et tout a changé – surtout quand elle a eu son premier rôle à la télé. Et encore, « rôle » est un bien grand mot… C'était une pub pour de la Super Glue. Megan devait coller deux bouts de carton et sourire à la caméra en disant : « La Super Glue, ça me scotche ! » Depuis, elle se croit supérieure à tout le monde – dont moi, bien entendu. Quand on est ensemble, j'ai tout le temps l'impression de passer un entretien pour le job de meilleure amie, et j'ai peur de donner de mauvaises réponses. Comme en ce moment.

Megan balaie ma chambre d'un regard morne et ses yeux se posent sur une de mes photos.

— Quel intérêt de photographier une pierre ?

Mon estomac se serre. L'image représente un magnifique galet immaculé creusé de trois trous. D'après Elliot, ces spécimens étaient utilisés autrefois comme des amulettes.

— C'est une pierre porte-bonheur.

— En quoi porte-t-elle bonheur ? questionne Megan avec une moue.

— Les pêcheurs l'emportaient en mer pour rester sains et saufs.

Elle ricane avant de conclure :

— Toi, Penny, t'es une originale…

D'habitude, j'aime bien être qualifiée d'« originale », sauf quand ça vient de Megan. Dans son esprit, l'originalité est la pire tare du monde. J'ai envie de la gifler mais je me canalise en serrant un coussin. Je ne vais *jamais* tenir toute la soirée…

— Si on se faisait un masque ? Il me reste le peeling à la fraise qu'on utilisait avant…

Megan secoue la tête puis, d'un coup de pied, elle jette ses chaussures par terre et s'étend sur mon lit.

— Qu'est-ce qui t'est arrivé, hier, au café ? me demande-t-elle, en examinant son ongle ébréché. Pourquoi tu étais si bizarre ?

Vite, inventer une excuse !

Je repense alors à mon post, et au bienfait d'avoir parlé de mes crises d'angoisse. Megan, elle, ignore tout de ce que je vis… On s'entendrait peut-être mieux si j'étais plus honnête avec elle ?

Je me lance, après avoir pris une inspiration :

— Tu te souviens de mon accident, il y a quelques semaines ?

Elle acquiesce, intriguée.

— Eh bien, depuis ce jour, je fais des crises d'angoisse. Je revis ce que j'ai ressenti dans la voiture et ça me donne des bouffées de chaleur, je n'arrive plus à respirer et…

— Je comprends *carrément* ! m'interrompt Megan. On est à deux jours de la première de *Roméo et Juliette*, et je suis tellement angoissée que je vais tout rater à coup sûr !

— Mais non, ça va bien se passer. Tu es top, sur scène !

— Tu trouves ? me demande-t-elle en levant vers moi son regard noisette. Je suis tellement stressée…

Et dire que tout le succès de cette pièce repose sur mes épaules ! Jeff m'a confié que je lui rappelais Angelina Jolie jeune… C'est sympa, mais ça me met énormément de pression…

— Tout ira bien.

Je suis envahie par l'amertume, la colère et la douleur. Encore une fois, elle a détourné la conversation pour parler d'ELLE ! Alors que je tentais de lui confier quelque chose de grave et d'intime ! En plus, elle continue :

— Heureusement que je m'entends si bien avec Ollie. Jeff nous a comparés à Angelina Jolie et Brad Pitt quand ils jouaient dans *Mr and Mrs Smith*. C'est le film où ils sont tombés amoureux !

Elle me fixe d'un œil insistant et esquisse un rictus.

— Tu sais, Penny, Ollie me raconte tout…

J'ai un haut-le-cœur. Elle est au courant…

— Alors, tu sais pour demain ?

Elle fronce les sourcils, sans comprendre.

— Demain ?

— Euh… on… on a rendez-vous pour déjeuner…, je bégaie, virant écarlate.

Elle reste interdite, mais s'efforce de garder le sourire.

— Vous avez *rendez-vous* ? Où ça ?

— À Lucky Beach, vers midi.

— Lui et toi ? interroge-t-elle, comme si c'était obscène.

J'ai envie de lui sauter à la gorge ! Pourquoi ma meilleure amie est-elle incapable de se réjouir de mon premier rencard ?! Il n'y a aucune justification possible ! À moins que…

— Tu l'aimes, Ollie ? je demande de but en blanc.

Megan me toise.

— Bien sûr que je l'aime.

— D'amour ?

Megan balance ses cheveux en arrière et pousse un petit rire.

— Pas du tout ! Il est bien trop jeune pour moi !

Je la dévisage, consternée. Qui est vraiinent cette fille ?

Chapitre 6

Si le *Livre des records* créait une rubrique : « Pire soirée pyjama de l'histoire », celle d'hier soir y figurerait en bonne place.

Ce dimanche, je me réveille avant l'aube. Allongée dans le noir, je tente de communiquer par télépathie avec Elliot à travers notre mur commun :

« J'ai passé une nuit horrible. »

Je tourne la tête et regarde Megan qui dort profondément à l'autre bout du canapé-lit. Un titre de post me vient à l'esprit : « Peut-on se lasser de sa meilleure amie ? » Aussitôt ma colère affleure, accompagnée d'une certaine tristesse. Je voudrais pouvoir rédiger ma note là, maintenant, tout de suite, histoire d'extérioriser. Comme c'est frustrant de devoir attendre ! Une fois, en plein contrôle de maths, j'ai eu une idée de note géniale, sauf qu'en sortant de la salle, je n'arrivais plus à penser qu'à deux lettres : x et y. Impossible de me rappeler mon idée géniale…

Pour m'assurer de ne pas oublier le titre de ma future note, je me réfugie sous la couette avec mon téléphone. En l'allumant, je constate qu'Elliot m'a écrit un SMS à minuit.

Elliot : Comment ça va, avec Meg-agaçante ? Je te manque ? Mon devoir d'histoire est tellement pourri que j'ai envie de tout effacer. Non mais qu'est-ce qu'on a à faire des Lois céréalières !

Ma réponse, sans attendre :

Penny : J'ai vécu la pire soirée pyjama de l'histoire des soirées pyjama ! La preuve, si je lis ton texto seulement ce matin c'est parce que... on s'est couchées à 23 h 30 !!! Bon, plus sérieusement, je te signale que les lois céréalières sont essentielles car il devrait être OBLIGATOIRE de servir des pâtes ou du riz à tous les repas... parce que j'adore ça ! PS : OUI, TU ME MANQUES !

À peine mon texto envoyé, un léger tapotement retentit contre le mur. Deux coups, suivis d'un coup isolé, puis cinq encore : « Je-t-adore. » Je m'apprête à répondre quand Megan pousse un gémissement :

— C'est quoi, ce bruit ?

— Euh... Rien du tout.

— C'est l'autre, qui habite à côté ?

Elliot et elle se sont croisés plein de fois, elle sait *très bien* comment il s'appelle. Quelle teigne...

— Franchement, Penny, poursuit-elle, je ne comprends pas pourquoi tu traînes avec lui. Il est trop bizarre.

J'enfonce mes ongles dans le matelas pour me retenir de lui sauter dessus.

— Je peux avoir un café ? enchaîne-t-elle, d'une voix toujours ensommeillée.

— Bien sûr ! je réponds, trop heureuse d'avoir une raison de m'éloigner.

Je bondis du lit, enfile ma robe de chambre et, en moins de cinq secondes, je dégringole l'escalier.

Je trouve papa à la cuisine, journal en main, attablé devant une tasse de thé. C'est un lève-tôt, comme moi. Il a les cheveux ébouriffés, et une barbe de trois jours.

— Salut, Pen. Comment s'est passée ta soirée pyjama ?

Pour toute réponse, j'esquisse une moue blasée.

— À ce point…, comprend-il.

Il sait que Megan et moi nous entendons de moins en moins bien. Je lui en ai parlé il y a quelques semaines.

— Papa ?

— Oui ?

— D'après toi, c'est possible, de se lasser d'une amie ?

— Bien sûr, ça arrive même souvent. Surtout à ton âge où chacun change… Je t'ai déjà parlé de Timothy Taylor ?

Je secoue la tête.

— C'était mon meilleur ami en primaire, explique-t-il en me faisant signe de m'asseoir. On était inséparables. Mais quand on est entrés au collège, je n'ai plus voulu traîner avec lui.

— Pourquoi ?

— Parce qu'il s'est mis au rugby !

Mon père est un inconditionnel du foot et ça le dépasse qu'on puisse préférer le rugby.

— Mais ce n'est pas tout, reprend-il avec sérieux. Il était devenu arrogant. On n'avait plus rien en commun.

— Vous vous êtes disputés ?

— Non, éloignés simplement. Alors ne t'inquiète pas pour Madame Megan la Marquise. Parfois, les amitiés se terminent, c'est comme ça.

Je me lève et l'embrasse sur la tête. Il sourit.

— Tu en as de la chance, d'avoir un père si jeune et pourtant si sage…, ironise-t-il.

Quand je regagne ma chambre, Megan est levée et habillée. Une lueur d'espoir ? Avec un peu de chance, elle sera bientôt partie.

— Voici ton café, dis-je en posant la tasse.

Elle s'en empare sans dire merci et demande sans détour :

— Alors, tu mets quoi pour ton déjeuner avec Ollie ?

Je reste muette. Avec cette soirée pyjama de l'enfer, je n'ai même pas réfléchi à ma tenue !

— À ta place, j'opterais pour un look décontracté, suggère Megan. Tu ne dois pas donner l'impression d'être trop « à fond », tu comprends ? Je te prêterais bien mon sweat à capuche, mais la couleur ne t'irait pas…

Elle prend une gorgée de café et ajoute, avec un sourire mesquin :

— Dommage que tu sois rousse… Ça ne va pas avec grand-chose…

Cette fois, c'est clair : si je veux garder tant soit peu confiance en moi pour mon rendez-vous, il faut que Megan dégage !

— Mon père veut que je lui donne un coup de main à la boutique, ce matin.

— Un dimanche ? questionne-t-elle, interloquée.

— Oui. Désolée. Il faut que tu rentres chez toi.

Contre toute attente, Megan a l'air déçue.

— Mais je voulais t'aider à te préparer !

— Je m'en sortirai.

— T'es sûre ?

— Oh que oui !

Sauf que je ne m'en sors pas du tout. Megan est partie depuis à peine une demi-heure, que c'est déjà le chaos dans ma chambre. Il y a des habits partout, y compris suspendus à ma lampe de chevet, et pas *un* qui ait trouvé grâce à mon reflet dans le miroir ! Qu'est-ce que je vais bien pouvoir mettre ?!

D'habitude, face à un problème de fringues, je fais appel à Elliot. Mais cette fois c'est impossible : il ne voudra jamais m'aider pour un rendez-vous avec Ollie. J'erre dans ma chambre comme une âme en peine. Même la vision de la mer, au loin, ne m'est d'aucun réconfort.

C'est alors qu'une drôle de question me vient à l'esprit :

Qu'est-ce que tu as envie de porter, toi *? Sans te demander ce que vont en penser les autres ?*

Instinctivement, je me dirige vers une pile de vêtements au pied de mon fauteuil à bascule et en sors une robe noire parsemée de petits cœurs violets. Je la passe, ainsi qu'une paire de collants opaques, puis je me regarde dans le miroir. Ça me va parfaitement ! Je me sens à l'aise, et j'ai l'air d'avoir la taille super fine. Je vais pour enfiler mes escarpins à talons quand la fameuse question résonne dans ma tête :

Qu'est-ce que tu as envie de porter, toi *?*

Du fond de mon armoire, je sors mes bottes de motarde, puis j'enfile une veste en cuir noir. Je suis prête ! Ou presque… J'attrape mon appareil photo et le glisse dans mon sac à main. Je ne sors plus jamais sans, parce qu'on ne sait jamais quand se présente l'occasion de faire une belle image. Et si ça se trouve, j'en prendrai peut-être avec Ollie ? Je rougis rien qu'en imaginant un portrait de lui et moi… J'ai beau détester les selfies, je ferais un effort si c'est pour y être tous les deux !

Chapitre 7

Le stress monte dès que j'arrive à la plage. Et s'il me pose un lapin ? Et si c'était une mauvaise blague ? Et si je trébuche au moment où il m'embrasse ? Pfff… comme s'il allait m'embrasser.

Plutôt que de prendre le bus qui longe la promenade, je décide de me rendre au rendez-vous à pied. La proximité de la mer m'apaisera certainement.

Sauf si tu trébuches sur les galets… Ce serait dommage de finir avec des algues collées aux fesses, comme à l'anniversaire de Tom !

Je ralentis et avance d'un pas plus prudent. Au large, le soleil d'hiver se reflète à la surface de l'eau. Je respire l'air iodé.

Et si tu te prends une fiente de mouette ?

— La ferme ! je lance à voix haute.

Je lève tout de même la tête pour m'assurer qu'aucune menace ne plane… Et au moment où je baisse les yeux, j'aperçois Ollie, posté quelques mètres plus loin.

— Comment t'es venu ? je demande quand nous sommes assez proches.

— Euh… à pied, répond-il sans trop comprendre. Tout va bien ? De loin, j'ai eu l'impression que tu parlais toute seule.

— Je… je ne faisais que chanter !

— Chanter ?

— Je fredonnais une chanson, quoi.

— Merci, je sais ce que veut dire « chanter ».

— Évidemment… MDR…

MDR ?? J'ai osé dire : « MDR » ?!!! La loose… ça fait à peine dix secondes que je suis avec Ollie et je passe déjà pour une folle qui chante en marchant et qui dit des débilités genre « MDR » ! Je me demande ce que réserve la suite…

— Tu as apporté ton appareil photo ?

— Oui, je réponds, le cœur battant.

Il pense déjà à faire un selfie de nous deux ?

— Tant mieux, poursuit-il, parce que j'aimerais que tu fasses quelques portraits de moi ici, à la plage. Je voudrais en avoir des belles, un peu stylées, pour mon profil Facebook. Et comme je sais que tu es une super photographe…

Il m'adresse un de ses sourires ravageurs.

Je ne sais pas quoi penser. Ce serait donc seulement pour cette histoire de photos qu'il m'a donné rendez-vous ?! Non, je me souviens bien : il a prononcé le mot « déjeuner ». Les portraits, c'est un petit supplément. Un truc auquel il vient de penser. Je sors mon appareil et suggère :

— On pourrait les faire près du ponton ?

Nous avançons le long de la plage et une joggeuse passe en souriant. Elle a dû penser qu'on était ensemble, Ollie et moi ! Si seulement je pouvais être un peu moins stressée...

Trouve un truc à dire... Un truc pas trop bête...

— Tu dois être super fier de ton frère.

Ollie me regarde, perplexe.

— Fier ? Pourquoi ?

— À cause de son niveau en tennis...

Ollie marmonne quelques mots indistincts en fixant la mer. La clarté du soleil se reflète sur ses pommettes parfaitement dessinées. L'image serait superbe, en noir en blanc.

— Ne bouge pas ! je lance en allumant mon appareil photo.

— Hein ?

— Garde cette expression et continue à regarder la mer. Ça fera une chouette photo.

— Ah, d'accord !

Aussitôt, il reprend sa pose.

— Comme ça ?

— Parfait.

Je zoome et ajuste l'angle. Puis j'appuie sur le bouton.

— Montre !

Il se penche sur le petit écran. Nos têtes sont si proches qu'elles se touchent pratiquement. Mon cœur galope.

— C'est trop beau !

Il me regarde et sourit. De si près, le bleu de ses yeux est encore plus intense. Il n'y aurait qu'un minuscule mouvement à faire pour un baiser. Nous nous observons encore trois longues secondes.

— T'es vraiment douée..., souffle-t-il.

— Merci.

Mais la gêne est trop forte, et je détourne le regard. Nous continuons d'avancer et croisons deux autres joggeurs dont la foulée fait crisser les galets.

— Et si tu en prenais une où je serais allongé sur la plage ? Un truc un peu original, quoi.

Je nous visualise aussitôt enlacés tous les deux au sol. Je rougis et chasse cette pensée.

— Tu pourrais faire une vue plongeante ? demande Ollie en s'étendant par terre.

— Oui, bonne idée.

Je me poste à sa gauche et tente de prendre la photo, mais il y a quelque chose qui cloche. L'image est mal centrée.

— Il faut que je me mette juste au-dessus de toi.

Ollie sourit, et je suis parcourue de frissons. Je lève le pied et passe la jambe de l'autre côté de son bassin. Puis j'approche l'œil du viseur.

— N'en profite pas pour regarder sous ma jupe !

— Jamais de la vie ! glousse-t-il.

Bien joué, Penny ! Pas une seule gaffe pour le moment ! Rien que du flirt, dans les règles de l'art !

Sauf qu'au moment où j'appuie sur le bouton, les galets se dérobent sous mes pieds ! Je tente de me redresser, en vain... Je glisse, glisse, et en moins de deux secondes, je suis à califourchon sur Ollie !

— Désolée..., je souffle, en essayant de me relever.

Il m'attrape par le poignet en riant.

— Pas moi ! C'était drôle ! *Tu* es drôle !

Je lui jette un coup d'œil méfiant. Mais sa façon de dire « Tu es drôle » n'a rien à voir avec le « T'es une originale » de Megan. Ses mots semblent affectueux !

— Non, mais *qu'est-ce* que vous fabriquez ?! retentit alors une voix dans mon dos.

Je sursaute et me retourne. Megan se tient là, à quelques mètres, les mains sur les hanches et le regard noir. Les jumelles, plantées derrière elle, ont le sourire jusqu'aux oreilles.

— Je… je prenais une photo d'Ollie, je réponds, les joues en feu. Puis j'ai dérapé.

— Mais bien sûr ! riposte-t-elle, furieuse.

Je constate qu'elle a troqué son jean et son sweat à capuche de ce matin contre une robe moulante et des bottes à talons.

Je me relève tant bien que mal, pendant que Megan s'en prend à Ollie.

— Qu'est-ce que vous faites ici ? Vous n'aviez pas prévu un déjeuner ?

— Comment tu… ? murmure Ollie, visiblement gêné. Écoute, ce n'était rien du tout. J'ai simplement demandé à Penny de me faire quelques portraits pour ma page Facebook.

Un rictus se dessine sur le visage de Megan. Elle me lance un regard triomphant, comme pour dire : « Tu vois que ça n'avait rien d'un rencard ! »

— Moi aussi, j'adore tes photos, déclare Kira en s'approchant de moi.

— Oui, renchérit Amara. Celles que tu as prises sur le ponton pour ton exposé d'arts plastiques étaient magnifiques.

— Alors, où est-ce que vous comptiez déjeuner ? questionne Megan, les bras croisés.

— Nulle part en particulier, réplique Ollie avec un haussement d'épaules.

— Eh bien, nous, on va chez *Nando*. Vous venez ?

— Carrément ! répond Ollie sans attendre.

Je suis tellement irritée que je donne un coup de pied dans le sol. Un galet fuse vers un bichon maltais qui passe par là. Le chien hurle et son maître – un vieux monsieur aux sourcils broussailleux – me fusille du regard.

— Pardon, monsieur ! Je n'ai pas fait exprès !

J'aurais pu ajouter : « Ne m'en voulez pas ! Je suis une Catastrophe Ambulante. Dès que je suis en colère, je fais n'importe quoi ! »

— Voyons, Penny ! intervient Megan comme si elle était ma mère. Ce pauvre toutou !

Je dois me retenir de lui projeter, à son tour, un galet dans la figure. À la place, je marmonne, les dents serrées :

— Je vais rentrer.

— Vraiment ? réplique Megan, dissimulant à peine sa joie.

— Et mes photos, alors ? intervient Ollie.

Je ne peux même pas le regarder.

— Je te les enverrai par mail.

— OK, super ! lance Megan d'une voix faussement légère. À demain !

J'ai déjà tourné les talons quand les jumelles me disent au revoir. Je bouillonne de rage et de désarroi. Une chose est certaine : j'en ai fini avec Megan. Pour toujours !

Chapitre 8

À peine rentrée, je somme Elliot de venir me voir (dix coups frappés sur le mur). Tandis qu'il prend place dans mon fauteuil à bascule, je préviens :

— Avant de critiquer ou de faire des remarques, attends que j'aie fini de tout raconter.

— Tu vas me parler de Meg-agaçante et du Selfie Ambulant ?

— Oui, mais s'il te plaît, attends avant de tirer de grandes déductions. Et interdit de prononcer la phrase : « Je t'avais prévenue. »

— Hein ? Interdit pour toujours ? Ou juste le temps de ton histoire ?

— Pour toujours.

Elliot soupire.

— Il va falloir me bâillonner…

— Elliot !

— OK, OK. Promis.

En tailleur sur mon lit, le regard fixé sur ma couette, je relate les événements depuis la soirée pyjama jusqu'au moment où Ollie a prononcé les mots : « Ce n'était rien du tout. »

— « Rien du tout » ? répète Elliot, estomaqué. Alors, ça, Pen, je t'avais pré…

— Elliot ! C'est la dernière chose que j'ai envie d'entendre. Quand je pense que j'ai pris son invitation pour un rendez-vous galant !

— C'est aussi ce qu'a cru Mega-Hétaïre !

— Hétaïre ?

— C'est un mot qu'utilisait Shakespeare pour nommer les garces…

— Ah…

— Cette fille est ignoble, poursuit-il avec dégoût. Je n'arrive pas à croire qu'elle se soit incrustée à ton déjeuner avec Ollie. Je te l'avais…

— Elliot !

— Pardon, pardon !

Il réfléchit un instant, avant de reprendre avec un sourire machiavélique.

— Tu devrais retoucher les photos d'Ollie ! Ajoute-lui des boutons… Et une bosse sur le nez !

Je souris à mon tour. C'est alors qu'un gong retentit.

— Ouais ! s'exclame Elliot en tapant dans ses mains. C'est l'heure du conseil de famille !

Ma mère a gardé plein d'accessoires de théâtre du temps où elle était comédienne. L'un d'eux est un énorme gong en cuivre, qui a pris place à l'entrée. Avec Tom, quand on était petits, on rivalisait de prétextes pour le faire retentir. Résultat, nos parents ont décidé que le gong ne servirait plus qu'à une chose : convoquer les conseils de famille.

L'exaltation d'Elliot me fait sourire.

— Ne t'emballe pas trop, c'est sans doute rien de transcendant. À tous les coups, ils veulent nous demander ce qu'on aimerait manger à Noël.

Il se fige dans le couloir et se retourne vers moi.

— Comment ça ? De la dinde, bien sûr ! Comme tout le monde.

— Papa voudrait tenter l'oie, pour une fois.

— De l'oie ?! s'écrie Elliot, horrifié. Ce serait atroce !

— Atroce ? Pourquoi ?

— Parce que... parce que... ce serait atroce, c'est tout !

Je hausse les épaules et m'avance vers l'escalier.

— *Rekao sam ti !*

— Qu'est-ce que ça veut dire ? je demande.

— « Je t'avais prévenue »... en croate. Eh bien, quoi ? Dans une langue étrangère, j'ai le droit !

Je fais mine de le taper, et nous éclatons de rire.

— De la dinde ! C'est notre dernier mot ! décrète Elliot dès que nous entrons dans la cuisine.

Maman, papa et Tom sont assis autour de la table.

— Pour le réveillon de Noël ! précise Elliot, avec détermination. On veut de la dinde, pas de l'oie ! C'est bien le sujet de ce conseil, non ?

— Pas du tout, réplique papa. Encore que, si, d'une certaine façon...

Il jette un coup d'œil à maman. Celle-ci enchaîne, avec un sourire triste :

— Malheureusement, Elliot, tu ne seras pas des nôtres cette année, à Noël…

— Pourquoi ?! je demande, abasourdie.

— Nous ne ferons pas le réveillon à la maison.

— Hein ? fait Tom en se redressant.

— On sera où ?

Mon regard navigue entre mes parents. Tous deux échangent un sourire, puis répondent d'une seule voix :

— À New York !

— Ah, non ! proteste mon frère.

Elliot, lui, semble bouleversé.

— Nous avons accepté la mission des Brady, explique maman. Nous organisons leur mariage au Waldorf sur le thème de *Downton Abbey*.

— Oh…, souffle Elliot, les yeux ronds. Penny, tu as trop de chance…

Sauf que je me sens *tout* sauf chanceuse ! J'ai chaud, d'un seul coup, et mes mains sont moites. Aller à New York, ça veut dire prendre l'avion… Pour moi qui supporte à peine les déplacements en voiture, un vol de cinq heures c'est insurmontable !

— Ce sera sans moi, décrète Tom en tapant du poing.

— Pardon ? demande papa.

— Melanie rentre à Brighton la semaine prochaine. Pas question que je la loupe. On ne s'est pas vus depuis des mois !

Melanie est la copine de Tom. Elle fait ses études en France, et les publications fleur bleue de mon frère sur Facebook me laissent penser qu'elle lui manque *énormément*.

— Tom, on ne peut pas passer Noël sans toi, voyons ! s'offusque maman.

Il secoue la tête.

— Alors, il faut rester.

— Moi non plus, je ne veux pas y aller..., je précise d'une petite voix.

— Co... comment ? balbutie ma mère. Vous ne vous rendez pas compte ! Passer Noël à New York, c'est une chance unique !

— De toute façon, riposte Tom, je ne comprends pas pourquoi vous devriez travailler à Noël.

— Parce qu'on ne peut pas se permettre de refuser le moindre contrat, explique papa avec gravité. Cette année est particulièrement calme, et la mission que nous ont proposée les Brady est inespérée : ils ont de gros moyens, et nous paieront l'équivalent de dix mariages anglais ! Sans compter qu'ils prennent tous nos frais à leur charge.

— Penny, tu es certaine que tu ne veux pas venir ? insiste maman, désolée.

— Je ne peux pas... Je dois...

— Faire un exposé de sciences ! complète Elliot. La note compte double dans la moyenne.

— Voilà ! je m'exclame en lui glissant un sourire reconnaissant. Je dois travailler non-stop pendant les vacances. Mais rien ne vous empêche d'y aller tous les deux. On s'en sortira très bien ici sans vous.

— Oui, allez-y ! approuve mon frère. On fêtera Noël tous ensemble à votre retour.

— Je ne sais pas…, réagit maman en adressant à papa un regard incertain. Qu'en penses-tu, Rob ?

— Prenons le temps d'y réfléchir…

Il paraît aussi déçu qu'elle.

Je me sens tellement mal ! Et si je leur disais la vérité ? Je pourrais leur expliquer que la seule pensée d'avoir une crise d'angoisse en plein vol me donne des sueurs froides… Non, impossible, je ne veux pas les inquiéter. Si je leur dis tout, ils renonceront à ce contrat. Il n'y a qu'une solution : rester ici, à Brighton, pendant qu'eux partent pour les États-Unis. C'est le mieux… mais ça ne m'empêche pas de me sentir très triste. Plus mes angoisses grandissent, plus mon horizon se rétrécit…

17 décembre

Peut-on se lasser de sa meilleure amie ?

Salut tout le monde !
Tout d'abord, un grand MERCI pour vos commentaires et pour vos conseils sur mes crises d'angoisse. Le simple fait de savoir ce dont je souffre me fait du bien. Ça me prouve que, finalement, je ne suis peut-être pas folle. Merci encore ! Vous êtes géniaux ! ☺
Je vous avais promis une note plus légère, sauf qu'il m'est arrivé quelque chose que je voudrais partager.
D'abord, une petite histoire : quand j'étais enfant, j'avais un manteau que j'adorais. Il était rouge vif avec des boutons en forme de rose et un col en fourrure. Quand je le mettais, j'avais l'impression d'être une princesse russe ou norvégienne.
J'aimais tellement ce manteau que je le portais tous les jours, même au printemps. Quand il a commencé à

faire vraiment trop chaud, je l'ai accroché au dossier de ma chaise, bien en vue et, en novembre, bien que le manteau ait été un peu petit, je l'ai remis, et porté encore tout cet hiver-là. Mais l'année suivante, j'avais tellement grandi que les boutons ne fermaient plus.

Ma mère m'a annoncé qu'il fallait racheter un manteau, et ça m'a dévastée. Sauf que quelques jours plus tard, j'ai commencé à apprécier mon nouveau manteau, et j'ai même fini par l'adorer. Lui avait des boutons tout simples, et pas de fourrure à l'encolure, mais il était d'un beau bleu-vert, une teinte proche de celle de la mer. Au bout d'un moment, j'ai changé de regard sur l'ancien manteau, et sa fausse fourrure m'a semblé ridicule. C'était comme s'il ne m'appartenait plus, comme si je m'en étais lassée, alors je l'ai confié à ma mère qui l'a donné à une œuvre caritative. Voilà ce que je vis en ce moment avec une de mes meilleures amies. Je me suis lassée d'elle.

Elle ne dit que des choses blessantes. Tout ce qu'elle fait est puéril et égoïste. Au début, c'est à moi que j'en voulais. Je me trouvais méchante de penser ça. Puis je me suis rendu compte qu'une amitié peut devenir étriquée et inconfortable, comme un vêtement... Non pas forcément qu'on ait fait quelque chose de mal, mais on est simplement passé à autre chose.

J'ai pris une décision : je vais lâcher prise avec Megan, et ne plus être amie qu'avec des personnes qui me font du bien.

Et vous ? Vous vous êtes déjà lassés de vos amis ? Racontez-moi...

Tchao !

GIRL ONLINE

Chapitre 9

Jusqu'à ce matin, j'aimais les lundis. Je sais, je sais, une vraie chtarbée ! Mais voilà, je trouvais exaltant d'aborder une nouvelle semaine, avec ses sept jours tout neufs, un peu comme au Nouvel An. Sauf que ce lundi-ci est complètement différent. Je l'aborde avec angoisse parce que :

1. J'ai pris conscience que je m'étais lassée de ma meilleure amie.
2. Je dois passer la journée avec elle pour finir les préparatifs de la pièce de théâtre.
3. Je dois aussi passer la journée avec le garçon qui a assisté et contribué à ma dernière humiliation.
4. C'est ce soir qu'a lieu notre représentation !

Autant dire que je suis au comble du stress quand j'arrive au collège.

— Salut, Pen ! lance M. Beaconsfield dès qu'il m'aperçoit.

Il paraît très agité – tellement, même, qu'il a dû oublier sa dose de gel ce matin, et sa mèche habituellement dressée lui pendouille devant les yeux.

— Où sont les autres ? je demande, en sondant le hall désert.

— En salle de théâtre pour répéter, pendant qu'on – enfin que tu prépares la scène.

— Préparer ? Comment ?

— Mon ami graffeur m'a fait faux bond, alors j'ai besoin de ton aide.

Voilà des semaines que M. Beaconsfield nous parle de son ami qui fait du « street-art » et qu'il a engagé pour donner à nos décors un aspect plus « ghetto ». On aurait dû se douter que c'était du flan… M. Beaconsfield est tout sauf « ghetto ».

— Je voudrais que tu dessines des tags sur le mur du fond et sur la caravane, poursuit Jeff. Prends ton temps, je monte voir les autres. La pauvre Megan a de gros trous de mémoire.

— Quel genre de tags ? je m'empresse de demander, en jetant un coup d'œil paniqué à un stock de bombes métalliques.

— Je ne sais pas, moi, quelques graffitis ! rétorque M. Beaconsfield, d'un ton agacé. L'assistante déco, c'est toi, je te rappelle ! Pas moi !

Quel traquenard… Si j'avais su que le poste d'« assistante déco » exigerait que je me transforme en Banksy, je ne l'aurais jamais accepté. Ma carrière de tagueuse se limite à avoir gravé « J'M les Canon 1D » sur un banc avec un bout de bois il y a trois ans !

– Je file en répétition, conclut M. Beaconsfield. Je viendrai voir le résultat à la pause.

Et il détale.

J'examine la paroi vierge à l'arrière de l'estrade. C'est de la folie ! Je vais la massacrer ! Il n'y a qu'une chose à faire, comme dans toute crise : écrire un texto à Elliot. Je connais son emploi du temps par cœur, je sais donc qu'il est en cours de latin (avec un prof tellement vieux que d'après Elliot « il a dû apprendre le latin quand c'était encore une langue vivante ! »).

Penny : AU SECOUUUUUURS ! MON PROF DE THÉÂTRE M'A DEMANDÉ DE TAGUER LE DÉCOR DE NOTRE PIÈCE ! GENRE FAIRE DES *VRAIS* GRAFFITIS !!!! IL PÈTE LES PLOMBS, C'EST LA SEULE EXPLICATION... JE T'EN SUPPLIE, AIDE-MOI OU JE VAIS DEVENIR FOLLE ! QU'EST-CE QUE JE DOIS FAIRE ????

J'appuie sur « Envoyer », grimpe sur la scène et me dirige vers la caravane. Je pourrais m'entraîner en tentant un petit tag à l'arrière. Si je loupe mon coup, personne ne le verra. Et si je me découvre un talent inattendu, je pourrai sauver la décoration de la pièce.

J'enlève le capuchon d'une bombe. Que taguer ? Que dessineraient les habitants d'un ghetto new-yorkais où se jouerait *Roméo et Juliette* ? Un cœur brisé ?

J'appuie doucement sur le pulvérisateur. Rien ne sort. J'appuie plus fort. Cette fois, un jet de peinture mauve jaillit. Je m'efforce de former un cœur, mais cela ressemble plutôt à une paire de fesses... À l'aide ! Mon téléphone bipe.

Elliot : NE TOUCHE PAS À CES BOMBES !!! Pen, crois-moi : tu es pleine de qualités... mais PAS en tant que graffeuse ! Rappelle-toi le dessin de lapin que tu avais offert à la petite fille que tu gardais ; elle en a fait des cauchemars pendant des mois ! Demande plutôt à l'ingénieur lumières de projeter une de tes photos de street-art. Il y en a des géniales parmi celles que tu as faites à Hastings !
PS : Mon prof de latin vient de se casser une dent en mordant dans une pomme...

Je soupire. Elliot a trouvé la solution ! L'espoir renaît ! Cette journée ne sera peut-être pas aussi horrible qu'annoncé...

Justement, Tony, le lycéen qui s'occupe des lumières, vient d'entrer dans le hall pour mettre au point les éclairages. Je lui explique l'idée d'Elliot et, au bout de quelques minutes, ma plus belle photo de street-art s'affiche au-dessus de l'estrade. Le résultat est bluffant.

Je ne croise Megan qu'en milieu d'après-midi, et contre toute attente, je reste zen. M'exprimer sur mon blog m'a aidée à accepter la situation, et je me suis faite à l'idée de passer à autre chose. Même le fait de voir Ollie me chamboule moins que prévu. De toute façon, l'un et l'autre sont obsédés par leur trac, et complètement focalisés sur leurs répliques.

Quelques secondes avant le lever du rideau, M. Beaconsfield réunit toute l'équipe dans les coulisses.

— Ça va bien se passer, assure-t-il. Vous allez assurer ! Comme le dit mon idole Jay-Z, « *Don't live life uptight – live it up in the sky* ».

Tout le monde le fixe, consterné.

— Bonne chance, ajoute-t-il, un peu gêné. Et Pen, j'aurais besoin que tu prennes des photos au moment du salut final. Tu pourras grimper sur l'estrade pour faire quelques images ?

Panique à bord. Moi ? Monter sur scène devant le public ?! C'EST MON PIRE CAUCHEMAR ! Pas le temps de protester, M. Beaconsfield a déjà tourné les talons et les acteurs ont pris place derrière le rideau.

Je sors mon appareil et m'assois sur un strapontin en soupirant.

Tout ira bien… Tout ce que tu as à faire, c'est monter sur scène, prendre une photo, et redescendre. Il ne peut rien t'arriver !

Chapitre 10

La représentation se déroule sans heurt. Il n'y a pas un seul trou de mémoire, et même l'accent d'Ollie sonne (à peu près) juste. Quand arrive la scène de la mort de Juliette, j'entends quelques reniflements émus dans le public.

À la fin du spectacle, les applaudissements sont nourris. M. Beaconsfield sautille de jubilation derrière le rideau.

— C'était génial, non ? Ils étaient formidables ! me lance-t-il, les yeux brillants.

— Parfaits, je confirme en souriant.

— Attends que tout le monde soit en rang pour le salut final, précise-t-il, avec moi *au centre* !

J'acquiesce et allume mon appareil.

Un à un, les comédiens s'avancent pour leur salut individuel. Le public les acclame de plus en plus fort, et c'est un tonnerre de bravos qui s'élève pour Ollie et Megan. Malgré nos tensions de ces derniers temps, je suis heureuse de son succès.

A présent, la troupe se met en rang et Megan fait signe à M. Beaconsfield de venir les rejoindre – une scène maintes et maintes fois répétée, y compris la prétendue surprise et l'air de fausse modestie de Jeff. J'attends qu'il ait rejoint le centre de l'estrade, puis je m'avance.

Finalement, ce moment tant redouté n'est pas si terrible. Le public a les yeux rivés sur les acteurs, du coup je passe incognito.

Tout se déroule sans problème jusqu'à mi-parcours… Mais, là, catastrophe ! Je trébuche sur mes lacets et m'écroule. Une seule pensée m'obsède : ne pas casser mon appareil photo ! Du coup, pour le protéger, je me rattrape sur les coudes, les fesses en l'air.

Plus précisément : les fesses en l'air… face au public.

Il y a des cris dans la salle, suivis d'un silence terrible… Sauf dans ma tête où résonne une questionne : « Mais d'où vient ce courant d'air ? »

Je regarde en arrière et me rends compte avec effroi que, dans la chute, ma jupe s'est relevée, exhibant ma culotte. Pire, j'ai eu la bonne idée d'enlever mes collants dans les coulisses parce que j'avais trop chaud et, comme par hasard, je porte aujourd'hui ma plus vieille culotte, tout élimée et décorée de licornes multicolores…

Je reste figée à quatre pattes. Tétanisée. Paralysée. Puis le public commence à applaudir. Mais ce ne sont pas les mêmes applaudissements que tout à l'heure. Ceux-là sont interrompus par des rires moqueurs et des sifflements. Je lève les yeux et croise le regard effaré de Megan. C'est alors qu'une main se tend vers moi ; celle d'Ollie. L'humiliation suprême...

Debout, Penny ! Descends de cette scène !

Mais au lieu de me lever, je quitte l'estrade *À QUATRE PATTES*... ! Le temps de regagner le petit escalier, le hall résonne de rires tonitruants. Je me redresse maladroitement, attrape mon sac et m'enfuis à toutes jambes.

Je ne m'arrête de courir qu'une fois rentrée à la maison. Titubant dans le vestibule, je m'efforce de reprendre mon souffle et file dans ma chambre. Là, je m'écroule sur mon lit. J'ai tellement, TELLEMENT honte ! Je ne pourrai même pas en parler à Elliot... Mon seul espoir, c'est qu'à force d'angoisse et de bouffées de chaleur, je me transforme en petite flaque et disparaisse pour toujours.

Sauf que la réalité sera tout autre. Je vais devoir affronter le regard des autres... et ce sera insurmontable... Je sors mon téléphone et vais sur Internet. Quand je ne peux pas consulter Elliot, c'est à Google que je m'adresse.

Je tape la phrase « *Comment se remettre d'une humiliation ?* » dans le moteur de recherche. Google me propose quarante-quatre millions de résultats. Je trouverai bien une réponse dans le tas ! Je clique sur le premier lien et atterris sur un site intitulé « Pensée positive ».

« *Apprenez à tirer des leçons d'une expérience humiliante* », stipule l'article. « *Il est plus aisé d'accepter les événements lorsqu'on leur trouve une explication ou du sens.* »

Hum…

Quelles sont donc les leçons à tirer de ce qui m'est arrivé ce soir ?

1. Toujours vérifier ses lacets quand on monte sur scène devant trois cents personnes.
2. Des lacets défaits, c'est le risque de chuter si brutalement qu'on finit la jupe relevée au-dessus des fesses.
3. Quand on est en jupe, toujours choisir une jolie culotte.
4. Ne jamais, JAMAIS, porter de culotte à licornes multicolores.
5. Ne jamais, JAMAIS, porter une culotte à licornes multicolores moche et RÂPÉE !
6. Dans les cas extrêmes de personnes assez stupides pour porter une culotte râpée à licornes un jour de spectacle, et capables de se retrouver les fesses en l'air devant trois cents personnes : NE JAMAIS QUITTER LA SCÈNE À QUATRE PATTES EN CONTINUANT À MONTRER SA CULOTTE À TOUT LE MONDE !

Bref, je suis cuite !

Sans réfléchir, je prends mon téléphone et me connecte à mon blog. Douze personnes ont commenté ma dernière note. Je passe en revue les messages, et cela m'apaise un peu. Mes lecteurs sont tellement gentils… Décidément, mon blog est le dernier endroit où je me sente à ma place.

Salut, Girl Online, je m'identifie tellement à toi...

On est pareilles ! Moi aussi, je me suis lassée d'une amie...

Moi, je veux bien être ton amie...

Merci pour ta sensibilité, Girl Online...

Pas de regrets ! C'est elle la perdante dans cette affaire !

Au risque de paraître bizarre, je te considère comme une de mes plus proches amies...

Les larmes me viennent et je m'allonge. Mes followers m'apprécient alors que je suis cent pour cent sincère avec eux. C'est bien la preuve que je ne suis pas si naze que ça, non... ?

Je continue de raisonner : il paraît qu'il y a sept milliards d'humains sur Terre. Sur ces sept milliards, seuls trois cents ont vu ma culotte à licornes. Certes, la plupart sont des gens que je côtoie tous les jours au collège mais quand même ! Ils vont bien finir par oublier, non ? Je me glisse sous ma couette et ferme les yeux. Je tente de me rassurer :

Il y a des milliards de personnes qui n'ont pas vu ta culotte...

Cette phrase résonne dans ma tête comme une berceuse, et je m'endors.

Le « *ping !* » de ma boîte mail me réveille en plein rêve… À tâtons, j'attrape mon téléphone pour l'éteindre quand une deuxième sonnerie retentit, puis une troisième, et ainsi de suite. J'entrouvre les yeux pour examiner l'écran. Il est une heure du matin. Ce sont probablement des lecteurs qui laissent des commentaires sur mon blog… Sauf qu'en regardant de plus près, je constate que ce sont des alertes Facebook.

« *Megan Barker vous a taggée dans une publication* », annonce la première ; les notifications suivantes signalent des commentaires sur ce même post. L'estomac noué, je clique sur le lien. C'est une vidéo, prise au moment du salut final. J'ai une bouffée de chaleur en la visionnant : me voilà montant sur scène puis m'effondrant sur les coudes et les genoux. La caméra zoome sur ma culotte ; le plan est si rapproché qu'on voit parfaitement les licornes, et l'endroit le plus râpé, à l'intérieur de ma cuisse. Je jette mon téléphone.

Non, ce n'est pas possible… !

J'avais complètement oublié que la représentation était filmée ! Je tremble d'horreur et de honte. Que faire ?!!

Respire. La solution est simple : tu n'as qu'à effacer la publication…

Je prends mon ordinateur par terre et allume ma lampe de chevet. Nouveau « *ping* » d'alerte. D'une main tremblante, je me connecte à Facebook. La petite icône rouge, en haut à droite, m'informe de vingt-deux notifications. Quel cauchemar…

Dix-sept personnes ont « aimé » la vidéo. En légende, Megan a écrit : « *Oups !* » À contrecœur, je parcours les commentaires. Il y a surtout des « *LOL* » et des smileys qui rougissent. Puis je lis le comm de Bethany, la fille qui jouait la nourrice dans la pièce :

Beurk ! Trop dégeu !

En dessous, Ollie a répondu :

Mais non, elle est mimi.

J'ai un haut-le-cœur. Je clique sur le tag « Penny Porter », en tête de la publication. Aussitôt, la vidéo disparaît de mon mur, mais mon fil d'actualité reste infesté de commentaires et de partages qui s'affichent les uns après les autres. Comment Megan a-t-elle pu me faire une telle crasse ?

Je lui écris un message privé : « *Enlève cette vidéo, STP.* »

Les yeux rivés à l'écran, j'attends sa réponse.

— Allez…, je marmonne les dents serrées.

En vain. Megan ne réagit pas.

L'activité en ligne se calme au bout d'environ trente minutes. Tout le monde a dû aller se coucher. Je devrais en faire autant, mais c'est impossible… Demain matin, plus de monde encore verra la vidéo. Je suis une vraie bombe à retardement.

Je reste allongée dans mon lit pendant des heures, les paupières grandes ouvertes, vérifiant et revérifiant mon téléphone. Mon seul espoir : que Megan ait vu mon message et supprimé la vidéo. À cinq heures et demie, au bord du délire, je lui renvoie un MP en la suppliant d'effacer la publication. Puis je ferme les yeux.

Ça va aller. Dès qu'elle se réveillera, elle verra tes messages et s'exécutera.

À l'aube, je sombre dans un sommeil agité, puis j'entends les coups d'Elliot sur le mur. Je me dresse en sursaut et lui réponds de venir sur-le-champ. Au même instant, mon portable bipe. Pourvu que ce soit Megan...

Elliot : Attends que je sois là avant de te connecter ! J'arrive !

J'entends claquer la porte de sa maison, puis ses pas résonner sur le trottoir. Je file au rez-de-chaussée pour lui ouvrir. Je n'ai pas le temps de dire bonjour qu'il demande :

— Tu viens de te réveiller ?

J'acquiesce.

— Bon, c'est déjà ça... Je ne voudrais pas t'inquiéter, mais il est arrivé quelque chose...

— Je suis au courant.

— Tu es au courant ? répète-t-il, un brin déçu. Elliot adore être porteur de mauvaises nouvelles...

— Oui, si tu parles de la vidéo.

Papa sort de sa chambre quand nous passons sur le palier.

— Tu sais qu'il est sept heures du matin, Elliot... ?

— Sept heures *moins une* ! précise-t-il en consultant sa montre.

— Je veux dire qu'il est un peu tôt pour une visite, non ?

— Il n'est jamais trop tôt pour apporter son soutien moral à une amie ! proteste Elliot d'un ton solennel.

Papa m'adresse un regard inquiet.

— Qu'est-ce qui ne va pas, chérie ?

— Tout va bien. C'est juste un…

— Un devoir à rendre en urgence ! coupe Elliot. Quelle plaie, ces conjugaisons de français…

— Penny ne fait pas de français !

— Elle, non, mais moi, oui ! précise Elliot, rapide comme l'éclair.

— Ah…, fait papa en se grattant la tête. Bon, eh bien quand vous aurez clarifié cette histoire de conjugaison, venez à la cuisine, je vous préparerai des œufs. Nous devons reparler de New York.

— D'ac ! je lance par-dessus mon épaule.

Dès que nous sommes dans ma chambre, je ferme la porte à double tour.

— Pen ! Pourquoi tu ne m'as rien dit ?

— J'avais trop honte. Et puis ça va s'arranger : j'ai envoyé deux messages à Megan pour lui demander d'effacer son post. Avec un peu de chance, la vidéo n'y est déjà plus.

Elliot me dévisage, catastrophé.

— Rappelle-moi la dernière fois que tu t'es connectée à Facebook ?

— Vers cinq heures du matin…

De nouveau, la nausée me saisit. Je sens bien qu'Elliot me cache quelque chose… D'ailleurs, comment a-t-il pu voir la vidéo ? Je m'en suis pourtant détaggée et Elliot n'est ami avec personne d'autre de mon collège.

J'ouvre mon ordinateur et rafraîchis la page.

— Oh non !

Un garçon de quatrième m'a taggée dans un lien menant à YouTube ! Je suis également identifiée dans un lien vers la page « non officielle » du collège. La vidéo s'y trouve aussi.

— Je suis vraiment désolé, souffle Elliot, mais tu es en train de faire le buzz…

Chapitre 11

— Penny ! s'écrie maman quand j'entre dans la cuisine. Que se passe-t-il ?

Je m'attable, la tête entre les mains. Si je n'étais pas aussi anesthésiée par le choc, j'éclaterais en sanglots.

— Elle est en train de faire le buzz, explique Elliot en s'installant à côté de moi.

— Le buzz ? répète papa, sans comprendre.

— Elle a créé l'événement en ligne, traduit Elliot. Comme la vidéo de Rihanna nue sur Twitter.

— Il y a une vidéo de toi nue sur Internet ?! s'exclame mon père, effaré.

— Non !

— Pas nue, d'ailleurs…, corrige Elliot, toujours au sujet de Rihanna. *À demi* nue.

— Il y a une vidéo de ma fille à demi nue sur Internet ?

Mes parents échangent un coup d'œil catastrophé. Maman s'assied à côté de moi en prenant ma main.

— Raconte-nous, chérie !

Il n'en faut pas plus pour que je fonde en sanglots.

— Il... y... a... une... vidéo... de... moi... en... petite culotte... à licornes... sur Facebook !

— Et ça, souligne Elliot, c'est presque pire que d'être nue...

— Une petite culotte à licornes ? répète mon père. Qu'est-ce que c'est ? Et d'où sort cette vidéo ? Quelqu'un peut m'expliquer ?

— Penny a trébuché sur scène hier soir en faisant une photo de la pièce, interprète Elliot, et en tombant, elle a montré sa culotte à tout le public.

— Ma culotte la plus moche ! je gémis en levant vers ma mère des yeux pleins de larmes. C'était ma préférée... jusqu'à hier. Maintenant, je n'ai qu'une envie, c'est de la brûler.

— Brûler quoi ? demande Tom en entrant dans la cuisine, les cheveux en pétard.

— Sa culotte à licornes, déclare Elliot.

— Bien, bien..., réplique mon frère. Il n'y a qu'une explication possible à cette phrase : je suis toujours endormi et ceci est un rêve.

— Alors tu n'es pas nue dans cette vidéo ? insiste mon père.

— Plus de doute, marmonne Tom en s'affalant sur une chaise, je suis en plein sommeil. .

— Non, papa, je t'assure.

— Alors tout va bien ! conclut-il avec espoir. On voit ta culotte deux secondes, il n'y a pas mort d'homme ! Tout le monde a certainement déjà oublié.

— Mon Dieu..., gémit mon frère, je vous en supplie, confirmez-moi que je rêve...

— Ce n'était pas deux secondes ! je sanglote. Tout a été filmé et posté sur le web... en gros plan et au ralenti ! Les gens pourront passer et repasser la scène. Et dire qu'elle était complètement râpée...

— Qu'est-ce qui était complètement râpé ? interroge papa, de plus en plus perdu.

— La culotte à licornes ! répondons-nous d'une même voix.

— Bon, reprend-il en posant les deux mains sur la table. Qui a mis cette vidéo en ligne ?

— Megan.

— Mega-odieuse, rectifie Elliot à mi-voix.

— Megan ? répète maman, sidérée.

— Oui, elle l'a postée sur sa page Facebook et quelqu'un l'a relayée sur YouTube, puis quelqu'un d'autre sur la page Facebook du collège.

Les larmes remontent quand je pense que tous les élèves verront ma culotte. Tom me dévisage.

— C'est une blague ?

Je secoue la tête.

— Il n'y a qu'une chose à faire, décide-t-il en bondissant, soudain éveillé.

— Que fais-tu ? demande maman.

— Je file au collège ! Je vais retrouver les personnes qui ont publié cette vidéo et les forcer à la retirer.

Je n'ai jamais vu mon frère aussi remonté.

Maman se dresse à son tour et l'attrape par le bras.

— Tu ne peux pas faire ça. Tu n'es plus inscrit dans cet établissement.

— Et alors ? Penny est ma sœur. Je ne vais pas rester sans rien faire !

Je lui adresse un sourire reconnaissant, mais papa secoue la tête.

— Je m'en occupe, fiston. La dernière chose dont on a besoin, c'est que tu t'attires des ennuis.

Il me prend par les deux bras et ajoute :

— Ne t'inquiète pas, trésor. Je me rends au collège dès ce matin et je leur demande d'enlever ce film de leur Facebook.

— Ce n'est pas la page officielle, papa... Le proviseur ne l'administre pas. De toute façon, trop de personnes ont déjà partagé le post, il nous a complètement échappé.

Je m'imagine arrivant au collège sous les regards dédaigneux et les rires moqueurs. D'un coup, j'ai la sensation qu'on m'agrippe par les pieds et que je coule. Je ne peux plus respirer, je ne peux plus avaler. Mon corps tout entier se contracte et tremble.

— Pen ? Ça va ? chuchote Elliot.

Les voix autour de moi se brouillent, et je n'entends plus qu'un brouhaha insupportable.

— Pen ?

— Penny ?

— Donnez-lui de l'eau !

— Elle va tourner de l'œil !

Je sens des mains m'attraper les épaules – les mains fortes de papa.

— Respire lentement, chérie. Très lentement.

— Voici de l'eau, dit Tom.

Je ferme les yeux et prends une profonde inspiration. Puis une autre. Dans ma tête, je vois la mer, le sac et le ressac. Peu à peu, j'arrête de trembler.

— Ma chérie, que s'est-il passé ?

Maman paraît tellement inquiète que j'ai encore plus envie de pleurer. Mais j'ai trop peur que les larmes ne provoquent une nouvelle crise d'angoisse, alors je me concentre sur ma respiration.

— Ça va mieux ? demande papa.

Son contact m'apaise. Il m'apporte une sensation d'ancrage.

— Tu veux que je leur dise ? questionne Elliot à voix basse.

J'acquiesce. Et, alors que je continue de me focaliser sur ma respiration, Elliot leur parle de mes crises d'angoisse.

Mes parents sont livides.

— Je suis désolée…, je murmure.

— Pourquoi ? réplique papa, stupéfait. Pourquoi es-tu désolée ?

— Tu aurais dû nous en parler…, intervient maman.

— Je ne voulais pas vous inquiéter. Et puis je pensais que ça s'arrangerait, le temps passant…

— Je nous prépare un thé ? propose Tom.

Tout le monde le dévisage. Tom ne propose *jamais* de préparer quoi que ce soit… C'est que l'heure est grave. J'acquiesce en m'efforçant de sourire.

— Tout d'abord, commence papa comme s'il était en réunion professionnelle, nous allons t'aider à régler ces crises d'angoisse.

— Oui, il existe un tas de solutions, renchérit maman. Je connais d'excellentes techniques de respiration, je les utilisais autrefois contre le trac !

— Toi, tu avais le trac ?!

Difficile de l'imaginer ayant peur de quoi que ce soit !

— Oh que oui, et c'était terrible. Parfois même, je vomissais avant d'entrer en scène. Mais j'ai appris à maîtriser ces symptômes, chérie, et tu y parviendras aussi.

— Tout à fait, abonde papa. Quant à moi, j'appelle tout de suite le collège pour dire que tu es malade. Tu vas te reposer jusqu'au Nouvel An, histoire de donner à cet orage le temps de passer. De toute façon, il ne reste que deux jours avant les vacances.

— Merci, papa.

— Ce n'est pas tout, ajoute-t-il en lançant un regard appuyé à ma mère, nous voulons que tu nous accompagnes à New York.

— Mais je…

— *Et* nous souhaitons qu'Elliot soit du voyage.

— Pardon ?! fait ce dernier, abasourdi.

— Nous avions de toute façon prévu de vous en parler, précise maman. Ce qui vient de se produire rend encore plus indispensable ta venue, Elliot.

— Nous ne resterons que quatre jours, explique papa. Départ jeudi et retour dimanche, le soir de Noël.

Il envoie un clin d'œil à Tom avant d'ajouter :

— Ce qui nous permettra de passer le réveillon tous ensemble.

Elliot irradie de bonheur. On dirait qu'il vient de gagner au loto.

— Quant à toi, Pen, poursuit ma mère, cela te fera du bien de te changer les idées, de mettre derrière toi l'accident, mais aussi cette stupide vidéo.

— Tout à fait, renchérit papa, à notre retour, cette affaire sera de l'histoire ancienne.

— Il n'a pas tort, souligne Elliot.

À cet instant, son téléphone sonne. Il consulte l'écran, les sourcils froncés.

— Salut, papa…, dit-il en décrochant. Je suis chez Penny. D'accord, d'accord, j'arrive.

Il raccroche et nous adresse un regard désolé.

— C'était mon père, il me fait remarquer que je devrais être en route pour le collège. Je ferais mieux de m'activer.

Il me saisit les mains et ajoute :

— Je sais que prendre l'avion t'angoisse, Pen, mais on va tous te soutenir !

Il lance un coup d'œil à mes parents qui s'empressent d'acquiescer.

— Bien sûr, chérie, renchérit maman.

— Nous sommes toujours là pour t'aider, précise papa.

De nouveau, la sonnerie d'Elliot retentit.

— Oui, oui, maman… C'est ce que je viens de dire à papa… Chez les voisins !… Je rentre dans deux minutes.

Il range son portable et soupire.

— À croire qu'ils ne se disent vraiment *rien* ! Pfff… J'espère qu'ils me laisseront partir avec vous..

— J'irai les voir moi-même, promet maman. Ils ne verront probablement pas d'inconvénient à ce que tu nous accompagnes. Surtout que nos clients prennent en charge tous les frais.

Elliot acquiesce, visiblement rassuré. Il se tourne vers moi et, les yeux pleins d'espoir, me demande :

— Alors, Pen ? Qu'est-ce que t'en dis ?

Je prends une inspiration et annonce :

— New York, nous voilà !

20 décembre

Affronter nos peurs

Salut tout le monde !

Merci encore pour vos derniers commentaires ! Au risque de vous paraître bizarre, puisqu'on ne s'est jamais rencontrés en vrai : je vous considère comme de véritables amis – vous êtes si gentils et si généreux... Je ne serais pas la même sans votre soutien.
Vous vous souvenez probablement de ma note sur les crises d'angoisse. Eh bien, cette semaine, j'ai connu un « syndrome de Cendrillon ». Le « syndrome de Cendrillon », c'est l'expression de mon copain Wiki pour décrire une situation d'abord horrible qui se transforme en expérience merveilleuse, comme dans *Cendrillon* : elle commence par perdre sa pantoufle de vair et au final, elle épouse le Prince charmant.

Cette semaine, j'ai vécu un événement horriblement humiliant, qui m'a donné de nouvelles crises d'angoisse. Mais je crois (et j'espère) que cette mésaventure va se transformer en une aventure positive : en effet, je pars bientôt en voyage, ce qui veut dire que je vais prendre l'avion. Cette perspective m'inquiète beaucoup, mais j'ai un espoir : surmonter ma phobie de l'avion en l'affrontant une bonne fois pour toutes.

Quand j'étais petite, j'étais persuadée qu'une sorcière vivait cachée sous le lit de mes parents. Chaque fois que je passais devant leur porte, je me mettais à courir pour que cette sorcière n'ait pas le temps de me transformer en crapaud.

Un jour, mon père m'a vue et m'a demandé ce qui se passait. Quand je lui ai expliqué, il m'a fait entrer dans sa chambre et a éclairé le sol sous son lit avec une lampe de poche. Il n'y avait rien d'autre qu'une vieille boîte de chaussures.

Moralité : parfois, il faut affronter ses peurs pour se rendre compte qu'elles sont injustifiées.

Cette semaine, donc, en embarquant dans un avion, j'affronterai une de mes peurs.

Et vous, alors ? Quelles sont vos peurs ? Comment envisagez-vous de les surmonter ?

Je vous raconterai comment s'est passé le vol dans ma prochaine note !

GIRL ONLINE

Chapitre 12

— Ce qu'il te faut, m'annonce Elliot quand nous nous installons dans le petit café de la salle d'embarquement, c'est un équivalent de Sasha Fierce.

— Un quoi ?

Mon cœur bat à tout rompre. D'ici peu, on nous appellera pour monter à bord d'un avion qui s'élancera ensuite très haut dans le ciel et parcourra cinq mille kilomètres sans s'écraser. Oui mais… s'il s'écrase ? Si…

— Sasha Fierce ! reprend Elliot. Tu sais bien ! Le double scénique de Beyoncé.

— Qu'est-ce que tu racontes ?

Elliot se recule dans sa chaise et étend ses longues jambes. Il porte un sweat vintage de l'université Harvard, un slim à rayures et des Converse vert pomme. Comment peut-il être aussi détendu ?!

— Quand Beyoncé a démarré, explique-t-il, elle était très timide et détestait se produire en spectacle. Alors, elle s'est inventé un alter ego extraverti et plein d'assurance et l'a baptisé Sasha Fierce. À chaque fois qu'elle entrait en scène, elle se glissait dans la peau de cette Sasha décidée, confiante, les cheveux au vent.

— Les cheveux au vent ?

— Ben oui, tu sais…

Elliot balance la tête de gauche à droite, en mimant la chevelure de Beyoncé.

— Je ne vois pas comment cette histoire peut m'aider…

— Il faut que tu inventes ta *propre* version de Sasha Fierce, et que tu te mettes dans son état d'esprit quand tu embarqueras. Je propose : « Sarah Sauvage » !

— « Barbare », tant que tu y es !

Je jette un coup d'œil vers le comptoir où mes parents commandent trois cafés et une camomille (pour moi, bien sûr). Je frémis… Quand ils auront payé, ils reviendront à notre table, on sirotera nos boissons puis ce sera l'heure d'embarquer… Le moment fatidique se rapproche.

— Caroline Confiance ?

J'observe Elliot d'un œil consterné. Il soupire.

— D'accord, d'accord… Trouves-en un, toi !

Une femme passe près de nous, traînant derrière elle une valise rose à roulettes. Elle porte un jean gris moulant, des bottines à bout pointu et une magnifique cape. Elle paraît forte et naturelle à la fois. Même ses cheveux sont parfaits – un carré noir et brillant, avec des reflets acajou. Quand elle passe près de moi, je vois qu'elle porte autour du cou des petits pendentifs qui forment le mot : « B.A.T.T.A.N.T.E. » C'est un signe…

— Le nom de famille de mon alter ego sera « Battante », je déclare.

Elliot acquiesce.

— Parfait ! Et le prénom ?

Je réfléchis un instant. Qu'est-ce que je voudrais être, en plus de « battante » ? Calme ? Sauf que « Calme Battante », ce serait ridicule. Que m'évoque le calme ? Une image me vient à l'esprit : la mer.

— Océane !

Elliot approuve :

— Océane la Battante. C'est super !

Océane la Battante. Mon nouveau pseudonyme tourne dans ma tête. Je m'imagine en super héroïne de bande dessinée, arborant un body bleu-vert et une cape de même couleur. Mes longues boucles auburn descendent très bas dans mon dos…

« Je suis Océane la Battante », je me répète. Et, incroyable mais vrai, les battements de mon cœur s'apaisent et ma gorge se dénoue légèrement.

« Je suis Océane la Battante… » J'imagine mon double dressé sur une vague, les mains sur les hanches, surveillant l'horizon.

C'est à ce moment que mes parents arrivent avec nos boissons.

— Tout va bien ? questionne maman.

— Oui, je réponds, réussissant même à sourire.

Pendant que mes parents discutent avec Elliot de tous les endroits qu'ils voudraient visiter à New

York, je me concentre sur les exercices de respiration que maman m'a appris, et je continue à énumérer mentalement les qualités d'Océane la Battante. Elle, elle prendrait l'avion sans ciller ! Elle s'avancerait tranquillement jusqu'à la porte d'embarquement, la tête haute et le regard droit. D'ailleurs, elle ne se serait jamais laissée terrasser par l'angoisse de l'accident ! Elle aurait continué à combattre les méchants, avec force et détermination.

Mon téléphone vibre... Fin de la rêverie. C'est un texto de Megan.

Megan : Hello, Penny ! Kira m'a dit que tu passais les vacances à New York. C'est vrai ? Tu peux m'acheter un parfum Chanel en duty free ? Je te rembourse à ton retour ! Bisous

Bien que je n'aie pas remis les pieds au collège depuis le spectacle, c'est la première fois qu'elle m'écrit. Même Ollie m'a envoyé un message Facebook pour prendre de mes nouvelles. Et évidemment, elle ne s'est pas excusée pour la vidéo bien qu'elle l'ait retirée de sa page.

J'éteins mon téléphone et le range dans mon sac. Que ferait Océane si on postait une vidéo d'elle sur le web ? Elle en rirait d'un air détaché, avant de sauter sur sa planche de surf en quête de nouvelles aventures. Il se produit alors un phénomène étrange : d'un coup, je me sens bien. Certes, il m'est arrivé des choses douloureuses ces derniers temps, mais je ne veux pas me laisser abattre ! J'ai beau être une catastrophe ambulante, une angoissée et porter des culottes élimées, je suis en train d'embarquer pour un voyage génial. Parce que *je suis* géniale ! « *I am Océane la Battante !* »

Chapitre 13

Nos quatre places sont sur la même rangée, dans la section centrale de l'avion. Je m'installe entre Elliot et papa pour me rassurer autant que possible. Pourtant, dès que le moteur de l'appareil vrombit, je sens ma gorge se serrer.

— Dis-m'en plus sur Océane la Battante, me glisse Elliot.

— Elle a une super planche de surf…, je réponds en m'agrippant aux accoudoirs.

— Excellent ! Il lui faut aussi une sorte de slogan…

La voix du pilote retentit dans les haut-parleurs, claire et décidée un peu comme celle de papa : « PNC, préparez-vous au décollage ! »

— Comment ça, « une sorte de slogan » ? je demande à Elliot, pour m'occuper l'esprit.

— Les Tortues Ninja disent « Cowabunga ! » et Buzz l'Éclair « Vers l'infini et au-delà ! »… Une phrase comme ça !

— Je vois… Mais je te préviens, je ne choisirai pas « Cowabunga ! »

L'avion se met en mouvement – je ferme les yeux et me concentre sur ma recherche de slogan. Dès que nous prenons de la vitesse, j'ai un flash : notre voiture qui traverse la route, les pneus qui crissent sur le goudron trempé, et les hurlements de maman. Je lui jette un coup d'œil inquiet : elle discute tranquillement avec papa.

— Pourquoi pas : « Quoi d'neuf, doc ? », suggère Elliot.

— Ça existe déjà, non ?

— Oui, c'est la phrase fétiche de Bugs Bunny…

Je m'esclaffe, mais mon rire est mêlé à de la peur. Sous mes pieds et dans tout mon corps, je sens la lourde carlingue se soulever, puis grimper dans le ciel à toute vitesse.

— Ça va ? demande Elliot en posant sa main sur la mienne.

Je hoche la tête et serre les mâchoires.

— Continue à me proposer des slogans, je marmonne entre mes dents.

Quand nous atteignons l'altitude de croisière, Elliot m'a énuméré les slogans de tous les super-héros de l'histoire des super-héros, depuis Captain America à Wolverine.

— Comment te sens-tu, Pen ? me demande papa.

J'acquiesce pour le rassurer.

Elliot se révèle être le meilleur des compagnons de vol. C'est bien simple, jusqu'à l'atterrissage, il n'arrête pas une minute de parler ! Il commente même les films que nous regardons ensemble sur mon écran.

Dans les rares moments où pointe l'angoisse (par exemple quand s'allume le signe « attachez vos ceintures » pendant quelques turbulences), je me concentre sur ma respiration et je visualise la silhouette tonique d'Océane la Battante.

L'équipage se prépare pour l'atterrissage, et je ressens un frisson d'excitation. Plus l'avion descend, plus les passagers se collent aux hublots – moi, je reste figée, les yeux rivés au siège de devant.

« Je suis une battante, je suis puissante comme l'océan » je me répète en boucle.

Après un léger rebond, l'avion se pose. Mes yeux se remplissent de larmes de joie et de soulagement.

— On est arrivés ! On a réussi !

En me levant pour rassembler mes affaires, je jette un coup d'œil dehors. Rien que d'après le tarmac, on sait qu'on est en Amérique ! Il y a d'immenses camions au long nez métallique et des techniciens en casquette et treillis.

— Salut, New York..., murmure Elliot avec un immense sourire.

Rien ne peut tempérer notre enthousiasme, pas même les deux heures de queue à la douane. Dans la file d'attente des taxis, Elliot et moi sommes tellement surexcités qu'on doit nous prendre pour des fous.

Les taxis jaunes s'élancent les uns après les autres une fois leurs passagers à bord. On se croirait en plein tournage de film ! Tout paraît si différent… et en même temps si familier.

Maman, elle, n'a pas le temps de se réjouir : depuis la seconde où nous avons atterri, elle a commencé à passer des coups de fil pour l'organisation du mariage. En ce moment, elle discute avec Sadie Lee, le traiteur. D'après ce que j'entends de leur conversation, les cailles prévues dans le menu *Downton Abbey* ne seront pas livrées à temps.

— Alors, il faudra nous en passer, conclut ma mère en faisant les cent pas. En revanche, n'oubliez pas de préparer la crème anglaise pour le pudding !

Papa pose une main sur son épaule et elle se blottit contre lui. Avec toutes ces émotions, j'ai oublié que maman était ici pour le travail ! Je les rejoins et nous nous étreignons tous les trois.

Enfin, nous sommes en tête de la file d'attente.

— Destination ? questionne le chauffeur en sautant de son taxi.

Il porte un pull noir et un jean, et a l'air particulièrement renfrogné.

— Au Waldorf-Astoria, s'il vous plaît, répond papa.

— C'est le plus beau jour de ma vie ! s'exclame Elliot sous le regard atterré du chauffeur.

Ce dernier aperçoit alors notre montagne de bagages. Maman a dû prévoir deux malles pour les tenues des mariés.

— C'est un camion de déménagement, qu'il vous aurait fallu ! bougonne l'homme.

Maman lui adresse un sourire désolé tandis que, à contrecœur, il charge nos valises dans le coffre.

— Les chauffeurs de taxis new-yorkais sont obligés d'être désagréables, me confie Elliot. C'est leur signe distinctif.

Le chauffeur se raidit.

— Qu'est-ce que t'as dit ?!

Elliot sursaute.

— Euh... Rien du tout ! Simplement que... vous jouiez à merveille votre numéro de chauffeur de taxi new-yorkais.

— Qu'est-ce que t'entends par « mon numéro » ?

— Eh bien... votre rôle de type un peu... bourru, avance Elliot, les yeux au sol.

— Ça n'a rien d'un numéro, fiston ! J'suis comme ça, c'est tout ! Maintenant, montez.

Nous nous exécutons. Je n'ose pas regarder Elliot de peur de piquer un fou rire.

Le taxi quitte l'aéroport et je retiens mon souffle. Tout est si immense, de l'autoroute à six voies aux gigantesques panneaux publicitaires !

— Vous avez eu de la neige ? demande papa qui, en parfait Anglais, se sent obligé de parler de la pluie et du beau temps.

— Nan, réplique le chauffeur, avant de se pencher par la fenêtre pour injurier un automobiliste qui lui a fait une queue de poisson.

Je serre les poings si fort que mes ongles s'enfoncent dans ma peau. Maman et Elliot, à ma gauche et à ma droite, posent chacun une main sur mon genou. Je ferme les yeux et pense très fort à Océane la Battante.

Nous entrons dans Manhattan. Les paysages sont tellement incroyables que j'en ai la tête qui tourne.

J'étais préparée à voir des gratte-ciel… mais pas à ce qu'ils grattent *littéralement* le ciel ! Je ne m'attendais pas non plus à voir un tel mélange de bâtiments ultra-modernes et d'immeubles anciens. Les New-Yorkais eux-mêmes me fascinent encore plus ! Les trottoirs grouillent d'hommes d'affaires en costume, de femmes en tailleur et de badauds venus faire leur shopping de Noël. Il suffit que je repère un look original pour qu'un autre, plus déjanté, entre dans mon champ de vision ! Une femme en veste cintrée, chaussée de tennis bleus, se faufile à travers la cohue avant de disparaître dans un bar. Un jeune latino, aux cheveux mauves, émerge d'une librairie puis se mêle à la foule. Plus loin, en plein carrefour, un policier déguste un hot-dog et une religieuse en habit glisse à travers tous ces gens comme si elle ne les remarquait pas. Tout cela sur fond de sirènes hurlantes mêlées aux klaxons et aux cris. Elliot me serre le bras, fou d'excitation.

Nous abordons Park Avenue. La route est si large que les feux rouges sont suspendus au-dessus et se balancent au vent. Mes yeux s'arrondissent à chaque palace que nous dépassons. Combien de photos géniales je vais pouvoir faire ici !

Le taxi stoppe devant notre hôtel et nous restons tous sans voix. La façade de pierre grise semble haute de plusieurs centaines de mètres. Deux immenses sapins de Noël sont dressés de part et d'autre de larges portes tournantes. Je sors du véhicule et perçois comme une petite piqûre froide sur mon nez. Il s'est mis à neiger…

— Bonjour, mademoiselle ! lance un portier en uniforme.

— Bonjour…, je réponds timidement.

— Bienvenue au Waldorf, reprend-il en s'avançant pour prendre nos bagages.

Les décorations rouge et or des sapins, les flocons qui tombent du ciel comme des perles… je n'ai plus l'impression d'être dans un film mais dans un conte de fées. Je croise les doigts en espérant que la fin sera heureuse.

Chapitre 14

Imaginez le palace le plus magnifique et le plus luxueux… Ajoutez-y encore de l'or, des chandeliers, du marbre et du cristal… Vous voilà au Waldorf-Astoria.

— Pas possible…, murmure Elliot en contemplant le hall d'entrée.

— C'est pas l'auberge de jeunesse de Hastings, hein ? ironise papa avec un clin d'œil.

Maman, elle, paraît terrorisée.

— C'est énorme…, souffle-t-elle.

Je ne sais pas si elle parle du hall, de l'hôtel ou du mariage qu'elle devra y organiser.

Elliot et moi arpentons les couloirs, bouche bée, jusqu'à nos chambres. Le top du top, c'est qu'elles ont une porte communicante !

— Voilà ce qu'il nous faut à Brighton ! s'exclame Elliot en ouvrant le battant. Ce ne serait pas génial, que je puisse venir te voir sans même devoir sortir ?

— Oh que si ! je glousse, en testant le matelas.

Avec son mobilier en acajou finement sculpté, ma chambre semble tout droit sortie d'un manoir. Les couleurs dominantes sont l'or et le bordeaux – des teintes que je ne choisirais jamais pour chez moi mais qui, ici, fonctionnent à merveille. Je m'avance vers la fenêtre dont les rideaux en velours grimpent jusqu'au plafond. Et là, derrière les voilages…

— … L'Empire State Building, s'exclame Elliot.

Nous admirons longuement les hauts immeubles de Manhattan, puis nous échangeons un regard et bondissons comme des enfants le matin de Noël.

Mes parents passent l'après-midi à discuter du mariage avec Cindy, Jim et Sadie Lee, le traiteur. Ils nous ont suggéré de nous reposer à cause du décalage horaire, mais nous sommes bien trop excités pour dormir. Nous voilà donc installés sur mon lit, entourés de coussins et, télécommande en main, nous passons en revue les chaînes américaines.

En même temps, Elliot fait des recherches sur le Waldorf-Astoria sur son ordinateur portable. Je n'ai pas sorti le mien de ma valise. J'ai décidé de ne pas y toucher jusqu'à la fin du voyage. J'ai aussi désactivé toute connexion Internet sur mon téléphone. Je compte bien profiter du fait qu'un océan me sépare du collège !

— Pen, écoute un peu ! « Le Waldorf-Astoria fut créé par deux cousins rivaux, Waldorf et Astor, qui firent bâtir deux hôtels voisins. Puis ils se réconcilièrent et firent ajouter un couloir entre les deux bâtiments. »

— C'est dingue !

— Ouaip ! Mais l'hôtel original a dû être démoli pour faire de la place à l'Empire State Building. Celui-ci date de 1931.

Je jette un coup d'œil par la fenêtre et, une fois de plus, un frisson me parcourt. J'ai l'impression de vivre un rêve !

— Et devine quoi, poursuit Elliot, les yeux ronds, c'est au Waldorf que fut inventé le *room service* ! ET il y avait une station de métro secrète au sous-sol, pour les VIP qui voulaient arriver incognito, comme le président des États-Unis !

Il me fixe, presque en transe.

— Oh, Pen ! J'adore cet endroit !

En hommage à l'inventeur du *room service*, nous nous faisons livrer notre dîner dans ma chambre : une salade Waldorf – autre invention locale – et une énorme pizza Margarita. Quand mes parents frappent à la porte, la fatigue commence à poindre. Papa a l'air aussi détendu que d'habitude, mais maman n'a jamais paru si stressée.

— Il y a tant à faire ! se lamente-t-elle en s'asseyant sur mon lit. On aurait dû arriver plus tôt, je le savais…

— Tout ira bien, assure papa. Il reste tout demain pour travailler. Sans compter que le traiteur est exceptionnel.

Maman acquiesce.

— Oui, Sadie Lee est super. Elle nous a fait goûter son pudding : exquis !

Elle se tourne vers moi, et poursuit :

— Dis-moi, Pen, Cindy et Jim souhaiteraient que tu prennes des photos des coulisses du mariage. Ils ont engagé un professionnel pour les clichés officiels, mais ils voudraient garder aussi des souvenirs des préparatifs.

— Pourquoi moi ?

— Je leur ai montré quelques-unes de tes réalisations et ils ont été impressionnés.

— *Très* impressionnés ! précise papa.

— Il y a de quoi ! fait remarquer Elliot. Penny est une excellente photographe.

— C'est d'accord ! je m'exclame, fière comme un paon. Je commence quand ?

— Demain, pendant la mise en place de la décoration.

— Ne t'inquiète pas, Elliot, ajoute mon père, pendant que les filles seront occupées, on ira faire un peu de tourisme entre hommes. Tu aimerais voir quelques musées ?

À ma grande surprise, je constate que mon ami a les larmes aux yeux.

— Oh oui, j'adorerais..., souffle-t-il. Vous êtes sympas, vraiment. Merci de m'avoir emmené.

— C'est un plaisir, assure maman.

Et nous le serrons tous dans nos bras.

Chapitre 15

Le lendemain matin, je suis réveillée par des coups frappés à la porte.

— Pen, tu es levée ?

L'espace d'un instant, je me demande pourquoi j'entends si bien la voix d'Elliot à travers le mur de ma chambre… Puis j'ouvre les paupières, et les draps blancs soyeux me rappellent que je suis au Waldorf-Astoria. Je suis à New York. J'ai survécu au vol !

— Oui ! Entre !

Elliot surgit par la porte communicante.

— Je suis debout depuis des heures ! explique-t-il. Comment dormir alors qu'on est à New York !

Un coup d'œil à mon réveil me révèle que j'ai dormi dix heures. Un exploit !

Elliot s'assoit au bout de mon lit et ouvre son ordinateur.

— Je sais que tu veux garder tes distances avec Internet mais il y a un truc que tu *dois* voir.

— Elliot, s'il te plaît… Je ne veux plus penser à cette stupide vidéo.

— Rien à voir avec la vidéo. Il s'agit de ton blog.

Je le dévisage.

— C'est-à-dire ?

— C'est-à-dire que tu as encore fait le buzz, ma chère. Mais du bon buzz, cette fois !

— Hein ?

Je m'approche. C'est ma note sur les peurs.

— Regarde les comms…

Mes yeux parcourent la page. Il y a trois cent vingt-sept commentaires. C'est la première fois que j'en reçois autant !

— Ils ont tous parlé de leurs phobies, explique Elliot, et comment ils comptent les affronter. Et regarde un peu combien d'abonnés tu as gagnés !

— Hein ? *Dix mille* ?!

— Dix mille sept cent quinze exactement.

Je me redresse, sous le choc.

— Tu devrais les lire, Pen. Certains sont très émouvants. Il y a une fille qui explique qu'elle va dire ses quatre vérités à une élève qui la tyrannise, et une autre qui veut dépasser sa peur du dentiste. Ah, et celui-ci : il *faut* que tu lises !

Elliot pointe du doigt un commentaire.

Salut Girl Online,

Moi, mes peurs sont un peu particulières… Jusqu'à aujourd'hui, je n'en avais jamais parlé. Mais si toi, tu trouves le courage d'affronter tes angoisses, je dois pouvoir surmonter les miennes aussi. C'est ma mère, qui

m'effraie. Enfin, pas elle – sa consommation d'alcool. Depuis qu'elle a perdu son travail, elle boit de plus en plus, et je ne supporte pas son état quand elle a trop bu. Elle devient colérique et parano, et elle me crie tout le temps dessus. Mais ce qui me fait le plus peur (désolée, ça va sembler débile), c'est sa transformation... Quand elle boit, elle se fout de tout, de la vie, des autres... même de moi. Ta note de blog m'a donné le courage d'agir. Aujourd'hui, j'ai prévu de parler à ma tante. Je me doute qu'elle ne pourra rien résoudre, mais elle saura peut-être me donner des conseils. Et rien que d'en parler, je me sentirai peut-être mieux.
Merci d'être si courageuse, et de nous inciter à l'être aussi.
Bisous

MISS PÉGASE

Je regarde Elliot, les larmes aux yeux.

— Je sais, acquiesce-t-il. Maintenant, lis le dernier.

Je descends jusqu'en bas de la page.

Re-salut Girl Online,
Je voulais te dire que j'ai parlé à ma tante et qu'elle a été adorable. Elle est venue à la maison et a proposé de nous héberger quelque temps. Maman ne s'est pas mise en colère – je crois qu'elle était plutôt triste et, déçue d'elle-même. Elle dit qu'elle veut se faire aider.
Merci de tout cœur, Girl Online, tu as mille fois raison : il faut affronter ses peurs pour se rendre compte qu'elles ne sont pas justifiées.
Bisous,

MISS PÉGASE

Je renifle et fixe Elliot.

— Je n'arrive pas à croire que… que ma note ait pu…

Il passe le bras autour de moi.

— Je suis fier de toi, Océane la Battante.

— Merci, Elliot.

Je me love contre lui, et il ajoute :

— Tu veux dire : merci « Waldorf l'Indomptable » ! C'est mon nouveau pseudo !

Si papa est le champion incontestable du petit-déj grâce ses Petits-déjeuners du Samedi, la médaille d'argent revient sans conteste au « *morning buffet* » de l'hôtel Waldorf. Après nous être régalés de bacon et de pancakes au sirop d'érable, maman et moi prenons nos quartiers dans les salons où doit avoir lieu le mariage, pendant que papa et Elliot partent se promener. Je suis très flattée d'avoir été choisie comme photographe des coulisses du mariage, mais aussi un peu frustrée de ne pas pouvoir aller à la découverte de New York.

Je retiens un cri quand j'entre dans le salon qui servira de salle de cérémonie.

— Maman ! C'est l'endroit idéal !

— Je suis d'accord, approuve-t-elle en souriant.

Ces tableaux aux murs, ce tapis luxueux, ce mobilier ancien, voilà qui rappelle les décors de *Downton Abbey*. Maman pose son planificateur sur un guéridon Art nouveau et, instinctivement, je prends la composition en photo : elle semble symboliser à elle seule tout le mariage.

— C'est ici qu'aura lieu la cérémonie, explique maman en désignant les chaises à pieds dorés disposées en rangs face à une majestueuse cheminée. Ensuite, les invités passeront à côté pour la réception.

Elle ouvre la double porte, et je découvre une pièce encore plus vaste parsemée de tables rondes. De superbes lustres pendent au plafond, et au centre de chaque table s'épanouit un magnifique bouquet de roses blanches et de gui. Tout au fond, la table des mariés est décorée de fanions aux couleurs du Royaume-Uni. On se croirait en Angleterre… au début du siècle dernier !

— Hello, hello ! résonne une voix dans notre dos. Tu dois être Penny ?

Je me retourne et aperçois une femme d'un certain âge. Elle porte un pull à col roulé et un élégant pantalon à pince ; ses longs cheveux gris sont relevés en chignon. Elle est très belle, avec ses pommettes hautes, son regard brun très doux et son rouge à lèvres carmin qui contraste avec sa peau claire.

— Bonjour, Sadie Lee, répond maman. En effet, je vous présente ma fille.

— Enchantée. J'ai beaucoup entendu parler de toi.

Je n'ai pas le temps de répondre qu'elle me serre dans ses bras. Elle sent si bon… un mélange de savon et de cannelle.

— Bien dormi ? demande-t-elle en nous regardant l'une puis l'autre.

— Très bien.

Mais ma mère secoue la tête.

— Pas moi, j'étais trop tendue pour dormir.

— Inutile de vous faire du souci, réplique Sadie Lee. Comme on dirait à *Downton Abbey* : « Ce mariage sera diantrement réussi ! »

Elle éclate de rire… un rire clair et naturel. Pas de doute, Sadie Lee est de ces gens qu'on aime au premier contact.

— Les Brady ont demandé à Penny de photographier les coulisses du mariage, déclare ma mère.

— J'allais justement commencer à préparer les amuse-bouches ! Tu pourrais m'accompagner en cuisine, Penny ?

— C'est une bonne idée, approuve maman. Tu pourras faire quelques prises de vue. Pendant ce temps, je descendrai à la retouche pour vérifier que les costumes des serveuses ont été ajustés.

Quand elle a tourné les talons, je rejoins Sadie Lee dans la cuisine. Contrairement au mobilier classique et à l'ambiance feutrée des salons, la cuisine ressemble à un laboratoire ultra-moderne, avec son plan de travail en Inox reluisant et ses fours de taille industrielle.

— Le repas sera préparé demain, bien sûr, explique Sadie Lee, mais je vais démarrer aujourd'hui les canapés pour le vin d'honneur.

— Vous n'avez pas d'équipe ?

— Pas aujourd'hui. Mais demain, nous serons une dizaine !

Je prends plusieurs photos de Sadie Lee, les mains dans la pâte, et les complète de gros plans de son livre de recettes. Puis je décide d'aller photographier la salle à manger… sauf que je me trompe de porte et me retrouve dans un autre salon. Au centre de la pièce, il y a une grande piste de danse entourée de petites tables. Je rebrousse chemin quand un accord de guitare résonne au fond de la salle. Il fait tellement sombre que je distingue à peine la silhouette assise sur l'estrade.

Je m'avance d'un pas prudent, et perçois une voix qui accompagne la musique. Le timbre est grave et je ne discerne pas les paroles, mais la mélodie est magnifique bien qu'un peu triste. Je progresse sur la pointe des pieds et aperçois, dos à moi, un jeune homme assis en tailleur. Il est entouré d'une batterie, d'un synthé et d'un pied de micro. Cette vision est tellement magique que je ne résiste pas à faire une photo. Je dégaine mon appareil, zoome et… Catastrophe ! j'ai oublié d'enlever le flash ! Un jet de lumière éclaire la scène.

— Eh ! Comment êtes-vous entrée ? fait l'inconnu en se levant d'un bond, les mains sur le visage. Qui vous envoie ?

— Pardon ! Je n'ai pas pu m'en empêcher… Tu paraissais si…

Je me ravise : mieux vaut aller à l'essentiel.

— … Je suis photographe pour la réception qui doit avoir lieu ici. Et toi ? Tu répètes pour le mariage ?

Il me scrute entre ses doigts. Un petit tatouage en forme de croche orne son poignet droit. Je m'approche de l'estrade, et il recule comme si je lui faisais peur.

— À ta place, je ne jouerais pas cette chanson demain…, je suggère.

Il semble tellement stupéfait que ses mains se relâchent. À présent, elles ne couvrent plus que la moitié de sa figure.

— Pourquoi pas ?

— Disons… que ça ne fait pas très « mariage ». La mélodie est belle, mais je l'ai aussi trouvée tellement triste… Inspire-toi plutôt de *Dirty Dancing*, ça marche toujours ! Vous connaissez le film *Dirty Dancing*, ici ?

Cette fois, il baisse les bras et me dévisage comme si j'étais une extraterrestre. Je suis stupéfaite par les traits de son visage. Avec ses cheveux noirs en bataille, ses pommettes hautes et ciselées, son jean délavé et ses bottes de motard usées, il a un look de « Rocker-beau-gosse ».

— Euh, oui, réplique-t-il d'un air cette fois amusé, on connaît *Dirty Dancing* aux États-Unis. C'est un film américain, en fait.

Ma première bourde ! Ça devait arriver ! Même à six mille kilomètres de chez moi, je reste une catastrophe ambulante… Et même, vu ma situation géographique, une catastrophe ambulante *internationale* ! Comme à chaque fois, le sol se dérobe sous mes pieds… Mais bientôt, c'est une autre sensation qui m'envahit : de la force et de la détermination.

Pas question de me ridiculiser pendant ce séjour ! Même si, pour cela, je dois me limiter à parler uniquement à mes parents et à Elliot… Et même si ça signifie de ne plus m'adresser au Rockeur-beau-gosse.

— Pardon de t'avoir dérangé, je lance, les joues écarlates. Bonne chance pour demain !

Et je tourne les talons.

Chapitre 16

— Je ne chante pas au mariage.

Je me retourne.

— Ah bon ?

Il me sourit… un sourire ravageur, un peu en coin, qui creuse une fossette dans ses joues.

— Alors, qu'est-ce que tu fais ici ?

— C'est mon métier, ironise-t-il, je m'infiltre dans les grands hôtels et je m'y installe pour jouer des mélodies tristes.

— Super choix de carrière !

— Oui, mais le salaire est bof…

Si ça se trouve, ce type est fou… S'il est vraiment entré incognito, est-ce que je dois le dénoncer ? Que faire ?!

— T'en fais, une tête…, commente-t-il.

— Je réfléchis.

— À quoi ?

— Je me demande si… tu ne serais pas fou, par hasard ?

Il éclate de rire.

— Non ! Enfin si… mais dans le bon sens du terme ! La vie est plus savoureuse avec un grain de folie, non ?

J'acquiesce.

— Comment tu t'appelles ? questionne-t-il en posant sa guitare sur un pied.

— Penny.

— Penny…

J'adore comment il le prononce, à l'américaine.

— Moi, c'est Noah. D'après ton accent, je parie que tu es anglaise.

— Oui.

— Trop cool. Et photographe ?

— Oui. Enfin, photographe amateur… Mais j'espère en faire mon métier. Ma mère organise un mariage dans cet hôtel, et on m'a demandé de faire des images des coulisses.

— Sérieux ? Ma grand-mère aussi travaille pour ce mariage !

— Ta grand-mère ?

— Sadie Lee. Elle est en cuisine.

— Je la connais !

Quel soulagement ! Avec une grand-mère aussi merveilleuse que Sadie Lee, il ne *peut pas* être fou !

— Je l'ai accompagnée en voiture ce matin, poursuit-il avec un sourire, et elle m'a dit que je pouvais rester à l'hôtel tant que je ne dérangeais personne. Du coup, je me suis un peu baladé, j'ai repéré cette guitare et j'ai eu envie de l'essayer.

— Tu es musicien ?

— Disons que c'est un… à-côté, répond-il d'un air énigmatique. Tu as faim ?

— Un peu.

Il saute au bas de la scène et s'avance vers moi. Plus il s'approche, plus je le trouve beau. Ses yeux bruns sont aussi doux que ceux de Sadie Lee et semblent étinceler quand il sourit. Je me sens transportée…

— Allons voir ce que concocte ma grand-mère, propose-t-il en se dirigeant vers la porte.

Une odeur alléchante flotte dans la cuisine. Des dizaines de cupcakes reposent, alignés sur le plan de travail, prêts à être enfournés. Plus loin trônent ceux que Sadie Lee a déjà cuits. Cette dernière nettoie un bol de mixeur au-dessus d'un immense évier.

— Hello, Mam' ! lance Noah. Tu n'aurais pas besoin de goûteurs ? Penny et moi, on meurt de faim…

— Noah ! s'exclame gaiement Sadie Lee. Et Penny ! Vous avez fait connaissance ?

— Oui, Penny m'a pris pour le chanteur du mariage.

— Pour le chanteur du… ? répète Sadie Lee.

— Cherche pas, c'est entre nous, coupe Noah en m'envoyant un clin d'œil. Alors, Mam' ? Qu'est-ce que tu mijotes de bon ?

Il scrute un plateau de canapés.

— Oh que non ! s'exclame sa grand-mère, en le chassant d'un coup de torchon. C'est pour le vin d'honneur !

— Tout ?!

— Oui, tout. Mais si vous avez vraiment faim…

Elle s'interrompt car maman entre en trombe dans la cuisine.

— Quel désastre ! crie-t-elle.

Noah et sa grand-mère l'observent d'un air affolé. Pour ma part, je la connais assez bien pour savoir que le moindre amuse-bouche trop grillé la ferait paniquer.

— Qu'est-ce qui se passe, maman ?

— Le diadème est cassé ! explique-t-elle, en prenant à peine le temps d'arrêter son regard sur Noah. Il s'est brisé d'un coup, alors que Cindy veut absolument porter un diadème d'époque ! J'ai laissé un message chez deux antiquaires mais…

Son téléphone sonne, et elle le plaque contre son oreille.

— Allô ?… Oui ! Merci de me rappeler… Je dois me procurer un diadème édouardien. C'est très urgent… Pour un mariage qui a lieu demain…

Son visage se détend peu à peu.

— À quel prix ?… Il est en bon état ?… Parfait, je le prends ! Mettez-le-moi de côté… Je passerai le chercher dès que possible !… Oui, merci ! Au revoir.

Elle raccroche en poussant un soupir.

— C'était une boutique de Brooklyn, ils ont ce que je cherche !

Puis son expression s'assombrit.

— Sauf que je n'aurai jamais le temps de faire un aller-retour à Brooklyn ! Je dois encore m'occuper des essayages des demoiselles d'honneur, faire le point avec Cindy et Jim…

— Pas d'inquiétude, assure Sadie Lee, Noah se chargera du diadème !

— Bien sûr, confirme aussitôt ce dernier.

— Noah est mon petit-fils, explique-t-elle avec un clin d'œil.

— Désolée, réplique maman en lui tendant la main, je ne me suis même pas présentée…

— Y a pas de mal, assure Noah avec un sourire. Où est-ce qu'il faut se rendre exactement ?

Ma mère note l'adresse sur un bout de papier et il se tourne vers moi.

— Tu veux m'accompagner, Penny ? Comme ça, tu verras Brooklyn.

Mon cœur bat plus vite. J'adresse un regard interrogateur à maman, mais elle a les yeux rivés sur son portable.

— Oui, oui, très bien…, marmonne-t-elle en tapant un SMS.

Je lui prends la main et d'une voix calme, déclare :

— Tout va bien se passer.

— Merci, trésor. Je vais rappeler la boutique pour donner mes coordonnées de carte bancaire. Quant à toi, prends ceci. Dehors, il fait froid.

Elle enlève sa veste et me la tend.

— Merci, Noah, lui dit-elle avec un sourire reconnaissant.

— Y a pas de quoi.

Il se tourne vers moi et, avec un faux accent britannique, annonce .

— Je vous prie de bien vouloir me suivre, gente damoiselle, votre carrosse vous attend.

Chapitre 17

— Zut, j'ai oublié de dire un truc à Sadie Lee ! s'exclame Noah quand nous arrivons aux ascenseurs. Je reviens !

Je le regarde s'éloigner vers la cuisine, et j'imagine ce que pourrait être mon statut Facebook du moment :

Penny Porter – à Brooklyn – avec un New-Yorkais tout droit sorti de Rolling Stones Magazine.

J'ai l'impression de rêver…

— On peut y aller ! lance Noah qui revient au pas de course, un large sourire aux lèvres.

Dans ses mains, deux cupcakes de Sadie Lee !

— Elle ne remarquera même pas que je les ai chipés, assure-t-il. Et puis, on rend service aux mariés en jouant les goûteurs ! Ils seraient bien embêtés si leurs invités tombaient raides morts en pleine réception !

— C'est sûr, j'acquiesce, hilare.

Je prends une bouchée. Le gâteau est si onctueux qu'il fond sur ma langue.

— Hmmm…

Noah hoche la tête.

— Sadie Lee est la meilleure pâtissière de New York, souligne-t-il en appelant l'ascenseur, voire du monde entier. Penny, raconte-moi l'anecdote la plus drôle de ta vie.

— Pardon ?

Il s'esclaffe.

— J'adore ton accent !

Il y a un « *ding !* » et nous entrons dans l'ascenseur… Sous les spots, difficile de masquer mes joues écarlates.

— Allez, insiste Noah en enfilant un bonnet en laine.

— L'anecdote la plus drôle de *toute* ma vie ?

— Oui.

Je me creuse le cerveau, mais dans ma tête, c'est le néant. Je fixe le décompte des étages : 20, 19, 18…

L'anecdote la plus drôle… ?

17, 16, 15…

J'ai tellement peur de ne pas trouver de réponse que je lance sans réfléchir :

— La Journée Magique et Mystérieuse !

— Hein ?

Maintenant, c'est tout mon visage qui est en feu.

— La Journée Magique et Mystérieuse…, je marmonne.

— C'est quoi ?

5, 4, 3…

— Une invention de mes parents pour mon frère et moi quand on était petits. Ça avait lieu une fois par an.

Les portes s'ouvrent sur un parking souterrain, mais Noah ne bouge pas.

— Et ça consistait en quoi ?

Je lui jette un coup d'œil timide. À ma grande surprise, il paraît sincèrement intéressé.

— Ça tombait toujours un jour de semaine, du coup, on n'allait pas à l'école. Mon père préparait un énorme gâteau qu'on dégustait à tous les repas : petit-dèj, déjeuner *et* dîner. L'autre obligation, c'était de faire une sortie Magique et Mystérieuse. Maman et papa dépliaient une carte sur la table, et l'un de nous désignait un endroit les yeux fermés. Puis, c'était parti pour l'aventure !

Les portes de l'ascenseur se referment, et Noah les retient juste à temps.

— C'est trop cool..., commente-t-il, d'un ton admiratif et nostalgique à la fois.

Rassurée que cette drôle de tradition familiale ne le refroidisse pas, je poursuis :

— C'était notre petit secret. Tous les autres enfants étaient à l'école, pendant que mon frère et moi, on se régalait et on s'éclatait en famille. Le mieux, c'était que cette journée arrivait toujours par surprise. On l'apprenait le matin même, quand nos parents venaient nous réveiller.

Nous avançons dans le vaste parking et, malgré la faible intensité des néons, je vois que Noah est impressionné. Je m'empresse de préciser :

— Interdit de le répéter ! Tom et moi, on a toujours gardé le secret ! Il faut dire que nos parents racontaient au directeur de l'école qu'on était malades...

— Et, cette Journée Magique et Mystérieuse, elle a lieu tous les ans ?

— Non, on ne la fête plus depuis plusieurs années. On a passé l'âge.

Noah fronce les sourcils.

— Tu trouves qu'on peut passer l'âge de manger du gâteau matin, midi et soir, et de vivre des super aventures ?

J'éclate de rire.

— Bien vu !

Noah sort ses clés de voiture et appuie sur le bouton. Un « bip » s'échappe d'un 4 × 4 noir reluisant, dont les phares se mettent à clignoter.

— Tu as quel âge ?

— Quinze ans, bientôt seize.

Nooooon ! Pourquoi cette précision ?! Il va comprendre que tu craques sur lui…

— Moi, dix-huit, réplique-t-il.

C'est donc certain : on n'a, ni l'un ni l'autre, passé l'âge de manger du gâteau et de vivre des aventures.

— Vraiment ? je questionne, les yeux ronds.

Il hoche la tête, puis jette un coup d'œil des deux côtés, comme pour vérifier que personne ne nous entend.

— On a déjà eu notre part de gâteau… Maintenant, c'est l'heure de la Tournée Magique et Mystérieuse de Brooklyn !

Je peux à peine contenir ma joie.

— Oh, c'est génial !

— Trop cooool, tu veux dire ! en forçant son accent new-yorkais. Dans la Grosse Pomme, « coool » est le seul mot qui compte !

— Alors, c'est trop coool, je corrige, hilare.

J'ouvre la portière du 4 × 4.

— Tu veux conduire ? demande-t-il, interloqué.

— Non... Pourquoi veux-tu que... Ah, d'accord !

Je viens de m'apercevoir que l'intérieur est inversé par rapport aux voitures anglaises ! Le siège passager n'est pas à gauche mais à droite.

— Désolée, j'avais oublié que vous conduisiez du mauvais côté, aux États-Unis.

— C'est vous, les British, qui conduisez du mauvais côté ! riposte Noah pendant que je contourne la voiture.

Sur mon siège repose un calepin corné. Je m'assois et le pose sur mes genoux. Ça me fait bizarre, d'être assise à la place du conducteur...

Noah entre à son tour. Il me prend aussitôt le bloc-notes des mains et le fourre dans la boîte à gants. À son air gêné, je me demande ce que renferment ces pages froissées. Noah serait-il un écrivain en devenir ? Un poète ? Il a le look pour, en tout cas...

Je sonde l'intérieur de la voiture. Des boîtes de CD et des médiators jonchent le dessus du tableau de bord, et il y a une sorte de bracelet de perles noires accroché au rétroviseur. Même la voiture de Noah a la touche « Rockeur-beau-gosse » !

— Dans la plupart des pays on roule à droite, tu sais, me fait-il remarquer en mettant le contact.

— Ce n'est pas un argument, je rétorque en attachant ma ceinture. Chez vous il y a aussi les guerres, les QCM au collège et le Coca Cherry !

— Le Coca Cherry ?

— Mais oui, vous êtes les seuls à boire ce truc immonde ! Un vrai goût de médicament !

Ce n'est qu'en abordant Park Avenue que je prends conscience d'être dans une voiture sans ressentir aucune anxiété. Finalement, avoir un beau brun à son côté, c'est plus efficace que les techniques de respiration et les alter ego ! Mais, à l'approche du premier carrefour, je suis prise d'un frisson. Hier, dans le taxi, je me sentais un peu protégée parce que j'étais à l'arrière et en sandwich entre Elliot et maman. Mais, aujourd'hui, je suis à l'avant... à la place qui devrait être celle du conducteur ! Rien de mieux pour se sentir en danger...

J'agrippe le bord de mon siège et m'efforce de penser à autre chose.

— Tu es étudiant ? je demande pour lancer une discussion.

— Non, je fais une pause.

— Une année de césure, tu veux dire ?

— Un peu. Mais parlez-moi de vous, plutôt, mademoiselle Penny : si vous deviez vous réincarner en instrument de musique, lequel choisiriez-vous ?

Un taxi nous double à toute vitesse par la droite, et je suis au bord de la crise cardiaque. Je ferme les yeux et tente de me raisonner... Sans succès. Je ne pense qu'à deux choses : le choc et la mort. Je mobilise toutes mes forces pour répondre à Noah.

— Je serais un violoncelle, vu que c'est mon instrument préféré.

— Ça ne m'étonne pas.

J'ouvre les paupières et lui envoie un regard en biais.

— Pourquoi ?

— Parce que le violoncelle est un instrument beau et mystérieux.

Et à ma grande surprise : il rougit !

— Tu ne veux pas savoir quel instrument je serais ? questionne-t-il, retrouvant son flegme.

— Si…

— Aujourd'hui, je dirais une trompette, mais ça dépend des jours. Hier, j'aurais plutôt choisi une grosse caisse.

— Je comprends, dis-je (bien que je ne comprenne pas du tout). Alors, pourquoi une trompette ?

— Parce qu'une trompette, c'est joyeux. Écoute un peu…

Il allume l'autoradio et le son d'un cuivre emplit la voiture. Je ne reconnais pas le morceau mais, d'après les CD que papa écoute au volant, je sais que c'est du jazz. Noah a raison : la trompette a une sonorité claire et entraînante. Il baisse le son et me regarde.

— On approche du pont de Brooklyn. Tu l'as déjà traversé ?

Je secoue la tête.

— On est arrivés hier. Je n'ai vu que l'hôtel.

— Alors ça tombe bien qu'aujourd'hui soit la Journée Magique et Mystérieuse !

Une voiture surgit sur notre droite.

— Attentioooooon ! je hurle avec un grand geste.

— Pas de panique ! Je te rappelle qu'il est du bon côté !

Je suis paralysée, mais mon esprit, lui, est en effervescence. Les images de cette nuit glaciale tournent dans ma tête… Je revis les tonneaux… les cris… le chaos…

Calme-toi, Penny ! Pense à Océane la Battante !

En vain… Le crissement des freins couvre ma voix intérieure. Je me mords les lèvres pour ne pas pleurer. Si seulement je pouvais oublier ce maudit accident ! Une bouffée de chaleur monte en moi. Je n'arrive plus à avaler ni à respirer. Qu'on me laisse sortir de cette voiture, sinon, je vais mourir !

Noah continue de parler, mais sa voix est lointaine et comme étouffée. J'ai les oreilles qui bourdonnent. Les larmes coulent à présent sur mes joues brûlantes. Je retiens tant bien que mal un gémissement de désespoir. Je veux que ça s'arrête ! Que ces crises me lâchent ! Pourquoi cet accident est-il si dur à surmonter ?!

Chapitre 18

— Tout va bien ? me demande Noah, d'une voix plus forte.

Je voudrais acquiescer mais c'est impossible, je suis tétanisée. Je sens la voiture prendre un virage avant de stopper. J'ouvre lentement les yeux. Nous stationnons dans une petite rue bordée de hauts immeubles. Noah m'observe d'un œil inquiet.

— Je suis… dé… désolée…, je bégaie en claquant des dents.

Après mon pic de chaleur, je suis à présent glacée. Noah se retourne et attrape une couverture à carreaux sur la banquette arrière.

— Tiens, dit-il en me la posant sur les genoux.

— Merci.

— Explique-moi ce qui s'est passé.

Sa voix est si douce et il semble tellement soucieux que je dois redoubler d'efforts pour ne pas fondre en larmes.

— Je suis désolée…, je répète machinalement.

Noah repousse mes cheveux en arrière et m'observe attentivement.

— Tu n'as pas à être désolée. Raconte-moi, plutôt.

Je tremble encore, et je suis plus déçue que jamais. Je n'arrive pas à croire qu'après le succès du voyage en avion, une telle crise ait pu se produire. Je ne me débarrasserai donc jamais de ces maudites angoisses ?!

Noah ouvre la boîte à gants et fouille à l'intérieur. Il en sort une barre chocolatée.

— Il te faut du sucre.

Je me force à prendre une bouchée. En effet, je me sens tout de suite mieux.

— Je suis déso…

— Si tu redis que tu es désolée, je te force à écouter tout l'album de country de Sadie Lee ! me coupe-t-il avec un sourire en coin. Et crois-moi, c'est une *vraie* torture ! Tu veux connaître le titre phare ? « Tu as jeté mon cœur dans les toilettes du désespoir » !

— D'accord, alors je ne suis pas désolée…

— Bien. Maintenant, dis-moi ce qui t'est arrivé.

— J'ai… j'ai eu un accident. C'était il y a un mois, mais je continue à faire des crises d'angoisse.

— Ma pauvre…, réagit Noah avec sincérité. Tu aurais dû me prévenir !

— Je sais… mais je m'amusais tellement !

— Vraiment ?

Nous échangeons un regard. Un sourire se dessine sur les lèvres de Noah. Puis il redevient sérieux.

— Qu'est-ce que tu préfères : qu'on laisse la bagnole pour finir le trajet en métro ? Ou que je te ramène à l'hôtel ?

— Non ! Je veux aller à Brooklyn !

Le comble, ce serait que cette crise mette un terme à mon escapade avec Noah !

Il y a un silence (encore qu'à New York, la notion de silence soit très relative !) mais, bizarrement, celui-ci n'est pas gênant. Je me suis dévoilée à un garçon qui me plaît, pourtant je n'éprouve pas le même embarras qu'avec Ollie. Noah a quelque chose qui m'apaise.

— J'ai une idée, déclare-t-il enfin. Je vais continuer à conduire mais, cette fois, très lentement, et je t'expliquerai tout : quand je tournerai, quand je m'arrêterai, et si je repère quelque chose qui pourrait t'angoisser, je te préviendrai.

Je hoche la tête avec reconnaissance.

— Ça passera, crois-moi, ajoute-t-il en se contorsionnant pour se mettre face à moi. Tu connais le proverbe : « Le temps panse toutes les plaies » ?

J'acquiesce.

— La première fois que j'ai entendu cet adage, poursuit-il, ça m'a énervé. Je pensais que c'était de simples mots qu'on prononçait en guise de réconfort. Mais c'est la vérité. Le temps soigne toutes les plaies. Peu à peu tu iras mieux, je te le jure.

Il y a quelque chose dans son regard qui me fait croire à ses paroles.

— Merci…

— Je t'en prie, dit-il en remettant le contact. On y va ?

— On y va.

Comme promis, nous progressons lentement. Noah commente les moindres détails de notre parcours, comme un guide, sauf qu'au lieu de me décrire les monuments, il m'indique quand on approche d'un carrefour, quand il accélère, quand il tourne…

Arrivée au pont de Brooklyn, j'ai le sentiment d'avoir repris le dessus. Et c'est tant mieux parce que ce pont est vraiment magnifique, avec ses immenses arcades gothiques aux deux bouts, et ces poutres en acier qui le soutiennent sur toute la longueur. La vue est incroyable.

— Comment ça va ? s'enquiert Noah quand nous sommes à mi-chemin.

J'acquiesce, sans détacher le regard des immeubles au-devant. Tandis que ceux de Manhattan sont de verre ou de pierre blanche, les bâtiments de Brooklyn sont faits de briques rouges et brunes qui se détachent sur le ciel d'azur.

— Bienvenue dans ma ville ! lance Noah quand nous quittons le pont.

— Tu habites Brooklyn ?

— Eh ouais ! Alors, ça te plaît ?

— J'adore ! ça me rappelle l'automne.

N'importe quoi ! Tu ne peux pas parler normalement ?!

— Les couleurs, tu veux dire ? demande Noah.

— Oui, dis-je, soulagée qu'il m'ait comprise.

— Je suis d'accord. C'est comme tes cheveux… eux aussi me rappellent l'automne. Et l'automne, c'est la saison des plus belles couleurs.

Je ne peux m'empêcher de sourire.

Nous nous enfonçons dans Brooklyn et pénétrons dans un quartier calme et résidentiel, aux rues étroites et arborées. Je peux enfin me détendre.

— Merci, Noah. Je me sens mieux.

— Je t'en prie, répond-il avec un sourire. Allons récupérer le diadème, puis on continuera notre Tournée Magique et Mystérieuse.

— Bonne idée.

La voiture s'engage dans une rue jalonnée de cafés et de petites boutiques. On dirait une version américaine des Lanes de Brighton.

— Tu es sûre que ça va ? me demande Noah en se garant dans un petit parking.

— Sûre et certaine.

Il attrape une veste en cuir tanné sur la banquette arrière. Puis, en l'enfilant, il scrute par la fenêtre comme pour vérifier quelque chose. Enfin, il sort du véhicule et je l'imite. Ça fait du bien d'être sur la terre ferme ! J'inspire l'air sec et froid.

— La boutique est par là, explique Noah en pointant du doigt la rue.

Nous passons devant une librairie de livres d'occasion et la porte s'ouvre, laissant paraître une jeune femme. Elle observe Noah comme si elle le connaissait. Lui, au contraire, accélère le pas.

— Je crois qu'on a croisé une amie à toi, je fais remarquer en allongeant ma foulée pour ne pas me laisser distancer.

— Hein ?

— La fille qu'on vient de voir.

Je jette un coup d'œil par-dessus mon épaule et constate qu'elle continue de nous fixer.

Pour toute réponse, Noah remonte le col de sa veste pour se protéger du froid.

— Nous y voici ! annonce-t-il soudain.

Nous nous trouvons devant une échoppe baptisée : *Au temps perdu*. La vitrine fourmille de trésors. Noah me fait signe d'entrer et, à peine la porte franchie, j'ai l'impression d'être dans la caverne d'Ali Baba. Je voudrais pouvoir prendre en photo chaque recoin de la boutique ! Sur les étagères trônent une vieille machine à coudre et un gramophone. Plus loin, j'aperçois des tringles entières chargées de fripes. Elliot deviendrait fou dans un tel endroit !

Noah s'avance vers le comptoir, au fond de la boutique, mais mon regard reste fixé sur une superbe poupée en porcelaine vêtue d'une robe de velours bleu, avec un col en dentelle un peu jauni par le temps. Ses longs cheveux sont de la même teinte cuivrée que les miens, et de délicates taches de rousseur parsèment son nez. Installée sur une pile de vieux livres, elle a la tête penchée d'un côté, ce qui lui donne un air mélancolique. En moins de deux secondes, je sors mon appareil et la prends en photo. Noah sursaute en percevant le flash et fait volte-face, mais dès qu'il me voit, il se détend.

— Cette poupée paraît si triste, je lui explique. Je me demande comment elle s'est retrouvée ici…

Je la soulève délicatement et lisse sa robe.

— Je déteste les jouets abandonnés. Quand j'étais petite, j'avais même créé un orphelinat pour jouets !

À chaque fois qu'on passait devant une brocante, je tannais mes parents pour qu'ils achètent tous les jouets exposés. Pour eux, c'était l'enfer !

Arrête de raconter ta vie !

— Je comprends très bien, déclare Noah contre toute attente.

Je l'observe, éberluée.

— Je fais pareil avec les instruments de musique, enchaîne-t-il. Je ne supporte pas de voir une guitare abandonnée. Un instrument, ça ne vit que si on en joue !

— Comme les jouets…

— Tout à fait.

Nous échangeons un regard et sourions, alors j'éprouve une sensation bizarre, comme si nous venions de nous… imbriquer.

Derrière le comptoir, un vieux monsieur à moustache lit un livre.

— Oui ? fait-il sans même lever les yeux.

— On vient chercher un diadème, explique Noah en consultant le papier de maman. C'est pour un mariage.

L'homme pose son ouvrage et nous toise par-dessus ses lunettes.

— Vous n'êtes pas un peu trop jeunes pour vous marier ?

— Non, non ! je m'exclame aussitôt. Pas pour *notre* mariage !

Noah fronce les sourcils.

— Quoi, tu ne voudrais pas m'épouser ?

— Non… euh… si…, je balbutie en rougissant à vue d'œil.

— Après tout ce qu'on a partagé ces dernières cent vingt-sept minutes ?!

Je souris et entre dans le jeu :

— Désolée, malgré tout ce qu'on a vécu ensemble, je ne suis pas encore prête à m'engager.

Noah regarde le vendeur et déclame, à la façon d'un tragédien :

— Brisé ! Mon cœur est brisé…

L'homme nous considère avec méfiance, puis il s'en va dans l'arrière-boutique.

— Et voilà, il se cache pour pleurer ! Ce que tu peux être cruelle, Penny…

Je n'ai pas le temps de répliquer que le vendeur revient, un carton entre les mains. Il pose la boîte sur le comptoir et soulève le couvercle. Un magnifique diadème repose dans le coffret, sur un coussinet de satin. Je souris en pensant au soulagement de maman.

— Ma mère a bien payé par téléphone ?

— Oui, répond le vieux moustachu en refermant le paquet qu'il glisse ensuite dans un sac.

— Merci, monsieur.

— De rien, marmonne-t-il en retournant à son livre.

— Bonne journée !

Pas de réponse.

— Très agréable…, je commente à voix basse quand nous approchons de la sortie.

— À la new-yorkaise…, réplique Noah avec un clin d'œil.

Il passe le bras derrière moi pour me tenir la porte.

— Mais rassure-toi, ajoute-t-il, on n'est pas tous comme ça…

Et ces mots tout simples me transportent de bonheur.

Chapitre 19

Dehors, les passants marchent la tête rentrée dans les épaules pour se protéger du froid.

— T'as faim ? me demande Noah.

— Oui, je suis même affamée.

— Je connais un super endroit où on aura un bon repas *et* de l'aventure. Le lieu idéal pour la Journée Magique et Mystérieuse.

— Alors, on fonce !

Nous retournons au parking et, sur le chemin, je reconnais la jeune femme de tout à l'heure qui discute au téléphone devant un café. Dès qu'elle nous aperçoit, elle arrête de parler et dévisage Noah.

— C'est elle ! je lance. La fille qui semblait te connaître.

Il jette un rapide coup d'œil, et tire un peu plus sur son bonnet.

— Jamais vue de ma vie, marmonne-t-il en pressant le pas.

Au moment où nous passons devant elle, j'entends ses paroles :

— Je te jure ! assure-t-elle énergiquement à son interlocuteur sans quitter Noah des yeux.

Je ne vois qu'une explication : il est tellement charmant qu'il attire tous les regards. Un véritable aimant à filles ! D'un coup, je suis assaillie de doutes : qui suis-je réellement pour lui ? Si ça se trouve, il est déjà casé… À la réflexion, c'est même certain ! Comment un mec aussi beau pourrait-il être célibataire ?

— C'est quoi, cet air triste ? me demande-t-il quand nous arrivons au 4 × 4.

— Rien, rien, je riposte en prenant un air détaché. Tout va très bien.

Je grimpe dans la voiture et lance un coup d'œil par la fenêtre. La jeune femme s'avance vers nous d'un pas rapide, son téléphone toujours en main.

— Allez, go…, dit Noah en s'empressant de faire rugir le moteur.

Je m'agrippe instinctivement à mon siège. Heureusement, un appel de maman capte mon attention. Je n'ai même pas le temps de dire « allô » qu'elle demande :

— Vous avez le diadème ?

— Oui ! Il est splendide.

J'entends son soupir de soulagement.

— Dis, maman, on pensait aller manger un morceau…

À l'autre bout du fil, j'entends des rires d'enfants, puis maman qui vocifère :

— On ne *danse* pas sur les tables !... Pardon, Penny, ce sont les demoiselles d'honneur... elles sont... comment dire... pleines d'énergie. Tu disais ?

—- Est-ce que je peux aller déjeuner avec Noah ?

— NON ! s'égosille ma mère. On ne *s'essuie* pas les mains sur le ventre, vous allez finir avec du chocolat plein vos robes !

Elle baisse d'un ton et reprend :

— Penny... je vais devenir folle si les mères ne viennent pas les chercher *très* vite ! Pour revenir à ta question : oui, bien sûr, allez déjeuner. Ton père et Elliot vont au cinéma, à Times Square, alors tu peux prendre ton temps. Amusez-vous bien !

Dans le fond, les cris d'enfants redoublent.

— Merci, maman. À plus tard.

— À plus t... NON !!! ON NE MANGE PAS LES FLEURS !

Je raccroche et m'aperçois que nous traversons à présent une zone industrielle. Entre les immeubles, on aperçoit l'East River.

— Ma mère est au bord de la crise de nerfs, mais j'ai son feu vert pour le déjeuner.

— Trop coool ! réagit Noah. Enfin... je veux dire : cool que je puisse t'emmener déjeuner, pas que ta mère soit au bord de la crise de nerfs ! Mais rassure-toi : personne ne pétera les plombs en présence de Sadie Lee. Ma grand-mère est la personne la plus réconfortante du monde.

— La mamie idéale !

— C'est certain...

Il y a une note de gravité dans sa voix. Son visage, pourtant, reste neutre et ses yeux fixés sur la route.

— Au prochain croisement, je tourne à gauche, puis on sera arrivés.

Nous sommes dans un quartier d'usines désaffectées. Le secteur semble désert. Je doute qu'on trouve ici un super restau… Après un virage, nous débarquons sur un terrain vague, jonché d'ordures et de mauvaises herbes. Noah se gare devant un entrepôt de briques grèges. Les murs, couverts de vieux graffitis, s'effritent par endroits. Les fenêtres sont murées ou fermées par d'épais barreaux. Même les rares arbres alentour paraissent flétris.

— Je sais ce que tu dois penser, déclare Noah, mais une fois à l'intérieur, tu comprendras que cet endroit vaut le détour.

— Tu m'emmènes… là-dedans ?

Je n'ai vu un tel bâtiment qu'une fois dans ma vie, et c'était dans un film d'horreur. Les personnages étaient tous dangereux et surarmés.

— Tu vas aimer, je te le promets ! s'esclaffe Noah.

Finalement, il est peut-être bien fou… et pas dans le bon sens du terme !

— Mais… c'est quoi, exactement ?

— Un café secret réservé aux artistes.

Voilà qui attise ma curiosité…

— Presque personne n'en connaît l'existence, poursuit Noah. Ils ne font aucune pub et on y entre seulement sur invitation.

— Et toi, alors ? Comment tu as su ?

— L'atelier de mon père se trouvait dans cet entrepôt. Ça remonte aux années soixante-dix : des artistes ont investi le lieu quand il a cessé d'être utilisé pour des marchandises. Au début, ils squattaient puis, dans les années quatre-vingt-dix, les autorités ont voulu raser le bâtiment ; les artistes ont monté un collectif et le maire a accepté de leur faire un bail spécial.

Noah marque une pause, avant d'ajouter d'un ton nostalgique :

— C'est mon endroit préféré… sans compter, précise-t-il avec un sourire, que c'est l'escale idéale dans notre Journée Magique et Mystérieuse : un lieu top secret où on peut manger du gâteau !

— Génial !

Nous sortons de la voiture et le froid me saisit. Noah enlève aussitôt son écharpe.

— Mets ça, dit-il en me l'enroulant autour du cou.

Je reste immobile. Il est si proche de moi que je n'ose d'abord pas lever les yeux. Puis je me décide, et nous échangeons un regard… très intense. Je ne peux m'empêcher de penser : « On est faits l'un pour l'autre… »

— En route, dit-il en posant la main sur mon dos.

Nous franchissons une petite ouverture dans le grillage et descendons une pente hérissée de chiendent. Noah compose le code d'une grande porte en fer et me fait signe d'entrer. Nous voici dans un couloir éclairé de néons qui grésillent. Les murs en béton sont couverts de tags ; contrairement à ceux que j'ai vus dehors, ceux-ci sont magnifiquement colorés. À bien y regarder, ce sont même de véritables œuvres d'art.

Une femme surgit au fond du passage. Elle porte une longue robe délavée et des dreadlocks attachées en queue-de-cheval.

— Noah ! s'écrie-t-elle.

— Hey, Dorothy ! Tu vas bien ?

— Super. Je viens d'apprendre qu'une galerie de Manhattan va exposer mes toiles.

— Trop coool !

Noah s'avance vers elle et l'étreint pour la féliciter, puis il me présente :

— Voici mon amie Penny. Elle est anglaise. Je voulais lui montrer un endroit original.

— Salut, Penny, bienvenue à New York, réplique Dorothy avec un grand sourire. Noah t'a emmenée au bon endroit ! Allez, je vous laisse, j'ai rendez-vous avec le galeriste. Ah ! Mais j'allais oublier le plus important : félicitations, Noah ! Je suis très fière de toi.

Elle lui redonne une accolade, puis disparaît.

— On va déjeuner ? propose Noah, visiblement gêné. Le restau est au sous-sol.

— Pourquoi Dorothy t'a félicité ? je demande en descendant les marches d'un petit escalier.

— Rien, c'était pour rire.

— Pour rire ?

— Oui, parce que j'étais avec toi.

Je m'immobilise, perplexe.

— ... Parce que tu es une fille ! précise-t-il en rougissant. Dorothy me bassine depuis des lustres pour que je me trouve une copine… Non pas que tu sois ma copine, bien sûr, mais…

Il est écarlate !

Nous nous contemplons un instant, puis il hausse les épaules et nous reprenons notre descente.

Je suis si heureuse que je pourrais pousser un cri de joie ! Noah n'a pas de copine !

Chapitre 20

Quand nous arrivons en bas de l'escalier, Noah s'avance vers une porte.

— D'abord, il fera très sombre, prévient-il. Ça ira ?

J'acquiesce, mais je ne dois pas avoir l'air convaincu parce qu'il me prend la main.

— Pas d'inquiétude, précise-t-il. C'est seulement qu'il faut être dans le noir complet pour pouvoir en profiter…

Je ne comprends rien mais ça m'est égal – *tout* m'est égal d'ailleurs tant qu'il me tient par la main !

— Prête ?

— Oui.

Il appuie sur un interrupteur et, d'un coup, un merveilleux monde sous-marin s'anime autour de nous. Les peintures noires, qui couvrent toute la hauteur des murs, sont décorées de poissons et de coquillages phosphorescents, ainsi que de longues algues émeraude.

— C'est une peinture spéciale, explique Noah. Les ampoules ultraviolettes reflètent les dessins. Tu aimes ?

— J'adore !

Je pivote lentement pour tout absorber. Chaque détail est une œuvre en soi.

— Décris-moi ce que tu ressens...

— Ce que je ressens ?

— Oui, d'après mon père, il faut toujours se demander ce qu'on éprouve face à de l'art.

— C'est une sensation de calme et de paix. Comme si j'étais une sirène... dans un monde magique.

— C'est vrai que tu ressembles à une sirène... Avec tes longs cheveux ondulés.

Je souris. Moi qui ai toujours détesté mes cheveux – trop roux, trop longs, trop bouclés – voilà qu'il m'en rend fière !

— ... Mais encore heureux que tu n'aies pas de queue de poisson ! ajoute-t-il en serrant ma main.

Parce que oui : il me tient toujours la main !

— Viens, je veux te montrer quelque chose.

Nous longeons le mur et nous nous arrêtons devant une image de coffre au trésor plein d'or et de bijoux.

— Tu vois cette étoile de mer turquoise ?

— Oui.

— C'est moi qui l'ai peinte, annonce-t-il fièrement.

— Vraiment ? Tu as peint tout ça ?

— Pas tout ! L'essentiel, c'est mon père. Mais il m'a demandé d'ajouter ce détail. J'avais dix ans. Et il ne me l'a montré sous la lumière ultraviolette qu'une fois la fresque terminée. Il m'a d'abord plongé dans le noir, comme je l'ai fait pour toi, puis tout s'est éclairé. Je n'oublierai jamais ce jour.

Il sourit en prononçant ces mots, mais il y a quelque chose de triste dans sa voix.

— Moi non plus, je ne l'oublierai jamais.

Il me fixe un instant et j'ai le sentiment qu'il va me dire quelque chose… Au contraire, il me lâche la main.

— Allons déjeuner…, suggère-t-il seulement, en reprenant son avancée dans le couloir.

Au fond, il y a une pieuvre aux tentacules multicolores. Noah en attrape le nez, qui se révèle être une poignée, et me fait signe de le suivre. J'ai l'impression d'être Alice au Pays des merveilles… Je tomberais sur le Chapelier Fou que ça ne m'étonnerait pas !

La porte cachée s'ouvre sur un charmant restaurant. La pièce est sombre et meublée de vieilles chaises, chacune différente, disposées autour de tables de bois brut. Au centre de chaque table brille une grosse bougie à la cire dégoulinante. Les murs, peints en bordeaux, sont parsemés de photos et de peintures. Surtout, un parfum appétissant flotte dans la pièce : des odeurs de tomates, d'origan et de pain chaud.

— Tu aimes les pâtes ?

J'acquiesce.

— Tant mieux. C'est la spécialité du chef, il est italien.

Noah me conduit vers une petite table nichée dans une alcôve. Nous prenons place dans l'angle de la banquette.

— Joyeuse Journée Magique et Mystérieuse ! lance Noah.

— C'est la meilleure de toute ma vie !

— Et elle n'est pas encore finie…

Il prend une carte et se rapproche de moi pour que nous la consultions ensemble. Nous sommes si proches que j'arrive à peine à me concentrer sur le menu.

— Je te conseille les lasagnes.

Je tourne la tête et l'observe. Deux mots tournent dans ma tête : « Embrasse-moi ! » Il me regarde aussi, et s'avance très légèrement. Pense-t-il à la même chose ? Je ne le saurai jamais car le gérant du restaurant surgit à cet instant.

— Salut, mec ! lance-t-il à Noah. Ça fait un bail ! Comment tu vas ?

Il doit avoir la vingtaine. Grand et fin, il porte un baggy et un tee-shirt de skate.

— Je m'occupe…, réplique Noah.

— Tu m'étonnes !

— Penny, je te présente Antonio. Antonio, voici Penny. Elle a traversé l'Atlantique pour venir déjeuner ici, alors je compte sur toi pour ne pas la décevoir.

— Dans ce cas, une seule recommandation : mes boulettes de viande !

Il prend appui sur notre table et se penche vers nous, comme pour nous dire un secret :

— J'ai une recette ultra-confidentielle et ultra-délicieuse aux tomates séchées. Elle vient de la grand-mère de ma grand-mère.

— Vendu ! Penny ?

— Ça me va aussi !

Antonio envoie un clin d'œil à Noah.

— Mignon, son petit accent...

Je rougis.

Quand Antonio a disparu, je balaie la salle du regard. Les clients – tous des hipsters, en jean slim et T-shirt pastel – sont occupés à manger, à discuter ou à travailler sur leur ordinateur portable. Je n'ai jamais vu un restaurant à l'ambiance aussi décontractée.

— J'aime beaucoup ce lieu.

— Je savais qu'il te plairait.

— Ah oui ?

— Oui, parce qu'il me plaît, à moi. On a beaucoup de points communs, tous les deux...

De nouveau, il semble sur le point de me faire une révélation. Mais, au contraire, il se lève en annonçant :

— Je vais faire un tour aux toilettes. À tout de suite.

Je le regarde s'éloigner. Je n'arrive toujours pas à croire que moi, la fille qui a exhibé sa culotte à licornes, se retrouve dans un tel endroit, avec un garçon comme lui, et qu'on se sente si bien ensemble.

Une femme s'avance vers un vieux juke-box, et y introduit une pièce. La chanson *What a wonderful world* résonne, et je ressens un bonheur intense. C'est la chanson préférée de papa – celle qu'il met quand il y a quelque chose à fêter. Des larmes de joie me montent aux yeux.

Noah revient s'asseoir.

— Je donnerais cher pour connaître tes pensées..., souffle-t-il en constatant mon émotion.

— Tu n'aurais pas les moyens…

— Dommage… Moi, je veux bien te dire à quoi je pense.

— Je t'écoute.

— Je me disais que j'étais bien content d'avoir emmené Sadie Lee au Waldorf ce matin. Et d'y être resté pour jouer un peu de guitare.

Mon cœur bat à tout rompre.

— À ce point ?

— Oui, répond-il avec un sourire malicieux. Mais il faut dire que c'était une *très* belle guitare.

Puis il détourne les yeux.

Chapitre 21

— À toi.

— Quoi ?

— À toi de me dire tes pensées.

— Je t'ai déjà répondu : elles sont hors de prix.

— C'est injuste ! réplique-t-il. Je t'ai confié les miennes, tu me dois la même chose en retour. Et au même tarif ! C'est la loi !

— La loi ?

En réalité, je tente de gagner du temps car mon unique pensée, depuis plusieurs minutes, est : « Embrasse-moi ! »

— Allez, Penny, je t'écoute.

Rien à faire. Mon cerveau est bloqué sur ces deux mots.

— Je réfléchissais… à cette journée parfaite.

— Vraiment ?

J'acquiesce sans oser le regarder.

— Je crois que…

— Et deux assiettes de boulettes ! Deux !

Nous sursautons, et Antonio plaque deux plats fumants sur notre table. Les boulettes ont l'air délicieuses, n'empêche qu'à cet instant, je pourrais les envoyer valser dans la figure du cuistot ! Il n'aurait pas pu les apporter *une* minute plus tard ? Histoire que je sache ce que voulait dire Noah ? Mais je ne suis pas au bout de mes peines... Voilà qu'Antonio se lance dans un interminable monologue pour nous vanter les qualités de sa grand-mère, surnommée « La reine de la sauce tomate », et nous raconter que les gens rappliquaient autrefois des quatre coins de Naples pour goûter sa fameuse recette. Bien entendu, quand – enfin ! – il se décide à nous laisser, le charme entre Noah et moi est rompu.

Je pousse un soupir et m'attelle aux spaghettis qui accompagnent les boulettes. Sauf qu'à mi-chemin de ma bouche, ils se déroulent à moitié de ma fourchette.

— Qu'est-ce que tu penses des boulettes ? me demande Noah.

— Mmmm... Délifieuves, je marmonne en aspirant dix bons centimètres de pâtes pendant à mes lèvres.

What a wonderful world se termine pile à ce instant : mon « *slurp* » sonore emplit la salle. Cerise sur le gâteau : j'ai de la sauce tomate *plein* le visage !

Noah m'observe avec un sourire. Mais, au lieu de se moquer de moi, il enroule un tas de spaghettis autour de sa propre fourchette et, à son tour, aspire bruyamment. Une grosse goutte de sauce atterrit sur son front. Nous nous esclaffons tous les deux.

Décidément, Noah ne me plaît pas seulement physiquement – c'est toute sa personne que j'apprécie, y compris sa mentalité. Voilà qui est, de loin, le plus important.

— Bouge pas…, recommande-t-il en prenant sa serviette.

Il s'approche et, d'un geste doux, essuie une trace rouge sous ma paupière, une autre au-dessus de mon sourcil. Puis sur mon front, sur mon menton, ma lèvre inférieure, et…

— J'en ai vraiment partout !

— Non, c'est moi qui aime nettoyer le visage des filles. C'est un toc. Mais pas d'inquiétude, d'après mon psy, je suis inoffensif.

J'éclate de rire et, à mon tour, lui essuie le front.

— Eh ! T'as le même toc ! Je t'avais bien dit qu'on avait des points communs !

Nous poursuivons notre repas, et tout du long, des frissons de joie me parcourent jusque dans les pieds.

— Alors comme ça, ton père est artiste ? je questionne.

Silence. Noah a arrêté de manger et ses yeux sont rivés à son assiette.

— Non. Mon père est… mort. De même que ma mère.

Je pose mes couverts.

— Pardon… Je ne savais pas.

— C'est rien…, assure-t-il avec tristesse. Ils sont morts il y a quatre ans… Ça commence à dater, alors je peux en parler.

Je reste interdite. Je ne peux même pas imaginer ce que ça doit être de perdre un parent… Alors deux !

— Tu vis avec Sadie Lee ?

— Oui, et ma petite sœur, Bella.

— Elle a quel âge ?

— Quatre ans, bientôt cinq. Elle était tout bébé quand ils sont morts. Sadie Lee est une super maman de substitution et moi, j'essaie d'être un bon grand frère.

Il repousse son assiette et me regarde attentivement.

— Ils ont eu un accident de ski. Emportés dans une avalanche. Après leur disparition, j'ai vu la vie d'un autre œil. Dis, Penny, tu as déjà fait un beau rêve qui, d'un coup, se transforme en cauchemar ?

Je hoche la tête. C'est ce que je vis presque toutes les nuits depuis quelque temps…

— Voilà ce que je ressentais en permanence. Avant l'accident, je n'avais peur de rien, le monde me paraissait sûr et accueillant ; ensuite, tout est devenu terrifiant. Voilà pourquoi je comprends ce que tu ressens en voiture. Ton accident t'a fait voir à quel point l'existence est fragile.

— Exactement…

Il se rapproche et poursuit, en triturant le coin de sa serviette :

— Je vais te raconter quelque chose. C'est un peu embarrassant… mais après tout, je t'ai vue pleine de sauce tomate, j'en déduis qu'il n'y a plus de gêne entre nous. Après la mort de mes parents, j'étais très angoissé. J'avais peur qu'il n'arrive quelque chose à Bella ou à Sadie Lee, du coup, dès que je m'absentais, je les appelais sans arrêt. C'est devenu insupportable. Je n'arrivais plus à me détendre ailleurs qu'à la maison. Heureusement, Sadie Lee a compris que quelque chose clochait et elle m'a emmené voir une psy.

— Elle t'a aidé à dépasser tes angoisses ?

— Oui. Elle, et l'écriture.

Je repense au calepin corné dans le 4 × 4.

— Qu'est-ce que tu écris ?

— Mes pensées, mes peurs, mes souvenirs. Ça fait du bien de coucher tout ça sur papier.

Voilà qui me rappelle mes notes de blog...

— Tu te rappelles, quand j'ai dit : « Le temps panse toutes les blessures » ? C'est Sadie Lee qui m'a cité cette phrase après la mort de mes parents. Sur le moment, ça m'a paru stupide et enrageant ; mais aujourd'hui, je sais que c'est la vérité.

Il me prend la main et sourit.

— Tu finiras par surmonter ton accident. Ces angoisses ne te pourriront pas la vie pour toujours. Tu sais ce que m'a dit ma psy ? « N'y résistez pas. »

— Comment ça ?

— Quand tu sens venir l'angoisse, n'y résiste pas. Ça ne fait que la renforcer. Dis-toi plutôt : « Je suis angoissée, mais ce n'est pas si grave. »

— Et ça marche ?

— Pour moi, oui. Ma psy m'a aussi appris un truc : imaginer que la peur a une forme et une couleur, et la visualiser dans son corps. À force de l'observer, de l'accepter, elle finit par disparaître.

Il marque un silence, puis me confie mi-ironique, mi-dépité :

— Désolé, je ne pensais pas que notre déjeuner prendrait une telle tournure.

— Au contraire ! Tout ce que tu viens de me raconter m'aide beaucoup ! Rends-toi compte : jusqu'à récemment, je pensais que je devenais folle !

— Tu n'es pas folle, assure-t-il avant de préciser avec un clin d'œil : Enfin, seulement dans le bon sens du terme.

Mon téléphone sonne. Pfff… Je ne pourrai jamais être un peu tranquille dans ma petite bulle avec Noah ?

— Je dois prendre l'appel. C'est probablement maman.

Mais c'est le prénom d'Elliot qui s'inscrit sur l'écran. Je tergiverse une seconde et bascule l'appel vers la messagerie. Je lui expliquerai plus tard ; il comprendra.

— Rien d'urgent, dis-je en rangeant le téléphone. C'était juste Elliot.

— Elliot ?

— Mon meilleur ami. Il est du voyage. Mon père l'a emmené faire du tourisme cet après-midi.

— Tu ne veux pas le rappeler ?

— Pas la peine, on se verra plus tard.

— Cool, conclut Noah en souriant.

— Alooooors ?! fait une voix tonitruante. Ces boulettes ?

Antonio s'approche de notre table, hilare. Je serre les dents. Ce type ne mérite qu'une chose : mourir noyé dans la sauce de sa grand-mère !

— Un régal ! affirme Noah.

— Délicieuses, je renchéris à contrecœur.

— Tant mieux ! se réjouit Antonio. Au fait, Noah, t'as été bien occupé, on dirait !

— Ouais, se contente-t-il de répondre en posant sa serviette sur la table. Désolé, mec, mais faut qu'on y aille. Je dois raccompagner Penny.

Antonio débarrasse nos assiettes, et Noah sort une énorme liasse de dollars de sa poche.

Je ressens un mélange de soulagement et de déception : tristesse de devoir quitter ce lieu magique, mais bonheur d'avoir bientôt Noah rien que pour moi.

Nous saluons Antonio et regagnons le couloir au décor sous-marin. Noah attend avant d'allumer la lumière.

— Je suis heureux d'avoir vécu cette Journée Mystérieuse et Magique avec toi, dit-il d'une voix si douce que je l'entends à peine.

— Moi aussi, je murmure.

Il lève le bras vers l'interrupteur, et sa main frôle la mienne. Un simple effleurement qui irradie dans tout mon corps.

Chapitre 22

Quand nous émergeons de l'entrepôt, je suis éblouie par le soleil blafard. Je me frotte les paupières, comme si je sortais d'un long rêve. Noah et moi échangeons un long regard. Tout paraît différent. Quand nous sommes entrés dans le bâtiment, nous étions deux personnes distinctes ; à présent, c'est comme si nous étions unis par un lien invisible.

Son portable sonne.

— C'est Sadie Lee, explique-t-il avant de décrocher. Allô, mam' ? Oui, très bien… Hein, qu'est-ce qui se passe ?… Ah d'accord. À très vite.

Il raccroche en soupirant.

— On doit rentrer. Ta mère veut voir le diadème et Sadie Lee a besoin que je la conduise chercher Bella à l'école.

Il balaie le sol avec son pied, puis demande :

— Tu restes jusqu'à quand ?

— Jusqu'à dimanche matin.

Mon cœur se serre. Le mariage occupera toute la journée de demain, et nous décollons tôt dimanche. Je baisse les yeux, dépitée.

— Tu veux dire qu'on ne se reverra pas ?

J'acquiesce sans un mot, mais intérieurement, je bouillonne. C'est trop injuste ! Voilà qu'enfin je rencontre un garçon drôle, gentil, et qui me plaît… et je n'ai qu'une pauvre journée à partager avec lui !

— Dans ce cas, je viendrai te voir en Angleterre aux prochaines vacances, conclut Noah.

Je dois faire un effort surhumain pour sourire. Nous regagnons le 4 × 4 d'un pas lent.

Sur le chemin du retour, comme à l'aller, Noah commente toutes ses manœuvres, et nous échangeons quelques banalités. Mais, au fond, je suis anesthésiée par la tristesse et la frustration. Le temps d'arriver au parking de l'hôtel, je suis au bord des larmes.

— Tu sais ce que c'est qu'un « événement perturbateur » ? demande Noah en coupant le contact.

Je secoue la tête.

— C'est le moment, dans une histoire, où le héros vit quelque chose qui change le courant de son existence. Comme dans *Harry Potter* : l'événement perturbateur, c'est quand Hagrid annonce à Harry qu'il deviendra sorcier et lui donne l'invitation à Poudlard.

Je l'écoute sans rien dire. Il baisse les yeux et ajoute :

— C'est ce que tu es pour moi.

— Une sorcière ?

— Non ! Mon événement perturbateur.

Il y a un silence. Dans la lueur blanche des néons, j'observe son visage parfait. Alors, je souffle :

— Toi aussi, tu es mon événement perturbateur.

Dans la cuisine, maman et Sadie Lee sont affairées autour d'une magnifique pièce montée ornée de personnages de mariés en tenue des années vingt. Bizarrement, mon exaltation ne saute pas aux yeux de ma mère… Je suis pourtant tellement excitée que j'ai la sensation d'irradier comme les poissons phosphorescents de la fresque !

— Elliot et papa sont rentrés, dit-elle. Ils sont dans leur chambre.

— Merci, maman.

Sadie Lee se tourne vers Noah.

— Tu es prêt à me conduire à l'école de Bella ?

J'ai un coup au cœur en songeant qu'il va partir, et je me raccroche à la confidence que nous nous sommes faite dans le parking : nous sommes chacun l'événement perturbateur de l'autre. Ça ne peut vouloir dire qu'une chose : on se reverra forcément.

Noah s'approche de moi.

— J'ai adoré passer ce moment avec toi.

— Moi aussi…

Il va pour m'étreindre, et – allez savoir pourquoi – je réponds par un « check » sorti de nulle part ! Alors que je n'ai jamais checké personne *de ma vie* !

— Euh… D'accord…, réagit-il en adaptant son geste.

Puis il m'attrape la main et, pour rire, me checke « gangsta-style », épaule contre épaule. Je suis mortifiée !

— Je t'appelle plus tard, me souffle-t-il.

Et il s'éloigne avec Sadie Lee.

Je n'ai pas le temps de sortir le diadème que le téléphone de maman retentit.

— Bonjour, Cindy !

Je pose la boîte sur le plan de travail en chuchotant : « Voilà le diadème », puis je file dans ma chambre.

Je n'ai pas encore atteint l'ascenseur que je reçois un SMS de Noah.

Noah : Merci pour cette journée trop cooool. À plus tard. N.

Je m'empresse de pianoter :

Penny : Merci à TOI. Bisous

« BisouS », au pluriel ? C'est peut-être trop... ? Surtout que lui ne l'a pas précisé, même au singulier. J'efface le dernier mot. Mais, du coup, le texto paraît froid. J'ajoute un smiley... non, ça fait gamine. Alors pourquoi pas un clin d'œil ? Trop ambigu... Alors, ce sera un simple « P », pour Penny. Non, on dirait que je copie son message... Je dois quand même faire preuve d'originalité ! Trois fois, les portes de l'ascenseur s'ouvrent et se ferment sans que j'entre. Je rédige, j'efface, je repianote, je re-efface. J'opte finalement pour un sobre « Merci à TOI. Penny », ce qui ne m'empêche pas de regretter au moment d'appuyer sur « Envoyer ».

Dès que j'arrive dans ma chambre, je vais toquer à la porte communicante.

— Elliot, tu es là ?

J'entrouvre le battant. Il dort. Je me retire discrètement et, à mon tour, vais m'allonger sur mon lit. Je ferme les paupières et, un coussin dans les bras, me repasse chaque minute de cette incroyable journée.

— Merci, merci, merci…, je souffle au Dieu des Événements Perturbateurs.

Pendant quelques minutes, j'attends le sommeil. Puis je me rends à l'évidence : je suis trop agitée pour dormir. Je me lève et sors mon ordinateur de ma valise. Évitant consciencieusement mails et réseaux sociaux, je me connecte à mon blog. J'ai à présent plus de quatre cents commentaires suite à ma note sur les peurs. Je les like les uns après les autres, puis je réponds à Miss Pégase, la fille qui a parlé de sa mère alcoolique. Enfin, je crée une nouvelle page et commence à taper.

22 décembre

De la peur au conte de fées

Salut tout le monde !
Je viens de lire vos commentaires et j'en ai les larmes aux yeux – des larmes d'émotion et de reconnaissance. Merci, vous êtes géniaux !
Avant d'ouvrir ce blog, je me sentais très seule. Je pensais que personne ne me comprenait (à part Wiki). Mais en lisant vos témoignages, j'ai pris conscience que des centaines – peut-être même des milliers – de personnes vivaient des choses semblables et me comprenaient.
Merci d'avoir été si honnêtes sur vos peurs – et bravo d'avoir eu le courage de les affronter. Et, s'il vous plaît, continuez à le raconter, je suis persuadée que ça aide tout le monde.
Aujourd'hui, je voudrais vous parler de quelque chose... d'incroyable.

Mon syndrome de Cendrillon s'est réalisé, et pas comme je l'avais imaginé.
Une chose est certaine : je suis maintenant convaincue qu'affronter sa pire crainte permet ensuite d'accéder à une sorte d'univers parallèle où tout devient possible.
Voici la grande nouvelle : j'ai rencontré quelqu'un.
Un garçon.
Qui me plaît.
Et qui, je crois, m'apprécie aussi.
À l'attention de mes nouveaux abonnés (d'ailleurs, merciii !!!), consultez mes anciennes notes intitulées « Je suis une catastrophe ambulante et je n'ai pas de mec » et « La malédiction du trou dans le trottoir », vous comprendrez que ce genre de miracle n'arrive habituellement pas à une fille comme moi. Face aux garçons, je suis du genre à avoir des tics nerveux ! Surtout, je ne leur plais *jamais* : ils veulent de moi comme amie, rien de plus. Ou pour se moquer de moi.
Sauf que ce matin, j'ai rencontré un garçon à qui je semble plaire *vraiment* – je l'appellerai « Brooklyn Boy ». Le plus merveilleux, c'est que je n'ai pas eu besoin de jouer un rôle. Je suis restée moi-même, et je lui ai quand même plu.
En début d'après-midi, j'ai eu une crise d'angoisse dans sa voiture. Il ne m'a pas prise pour une folle ; au contraire, il était très attentionné et m'a donné de super conseils que je voudrais partager avec vous.
Voici le plus important : « le temps panse toutes les blessures ». Autrement dit : rien ne dure pour toujours. Et sachez que Brooklyn Boy parle d'expérience car il a perdu ses deux parents.

Après cette mort, il avait constamment peur de perdre tous ceux qu'il aimait. Il a consulté une psy qui lui a recommandé ce petit exercice : quand on éprouve de l'angoisse, il ne faut pas y résister. Il suffit de l'accepter et de la visualiser.

Si vos peurs vous donnent la migraine, des nausées ou une oppression dans la poitrine, donnez-leur mentalement une forme et une couleur. Puis songez que ce n'est pas si grave d'être angoissé – alors l'angoisse se dissipera.

Je n'ai pas encore testé cette méthode, mais Brooklyn Boy dit qu'elle lui a vraiment réussi.

Alors, à tous ceux qui ont partagé ici leurs peurs, pourquoi ne pas tenter cette technique la prochaine fois ? Moi, j'essaierai, c'est certain. On pourra tous faire un petit compte rendu sur ce blog.

Je quitte New York après-demain, et je ne sais pas ce que l'avenir nous réserve, à Brooklyn Boy et à moi... ☹

Mais je le sens, quelque chose s'est déjà passé entre nous. Ce ne peut donc pas être la fin. Le Prince charmant n'a pas lâché l'affaire avec Cendrillon, il me semble ? Il a cherché une solution jusqu'à ce qu'ils soient réunis. C'est en tout cas ce que je ferai, parce que, quand on trouve une personne qui nous apprécie vraiment et vice versa, on doit *tout* mettre en œuvre pour ne pas la perdre.

Je vous aime de tout mon cœur et vous remercie pour votre soutien.

Continuez à raconter vos peurs... et à croire aux contes de fées !

GIRL ONLINE

Chapitre 23

— Qu'est-ce que tu fabriquais pendant tout ce temps ?!

J'ouvre les yeux et ma première vision est celle d'Elliot, qui me fixe. Il porte une nouvelle monture de lunettes aux couleurs du drapeau américain.

— Il est quelle heure ? je marmonne en jetant un coup d'œil à la fenêtre.

Les immeubles scintillants de New York se découpent sur le ciel nocturne. J'ai dû dormir tout l'après-midi.

— L'heure de me raconter ce que tu as fait de ta journée !

Elliot s'installe sur mon lit et, sans me lâcher du regard :

— Qui est ce Brooklyn Boy ?!

Je regarde mon ordinateur portable, posé sur ma table de nuit, et tout me revient. Elliot a dû lire ma dernière note de blog.

— Je l'ai rencontré ce matin. Sa grand-mère est le traiteur du mariage.

— Et tu es tombée amoureuse ?!

— Non, je…

Elliot sort son téléphone et lit d'un ton grandiloquent :

— « Quand on trouve une personne qui nous apprécie vraiment et vice versa, on doit *tout* faire pour ne pas la perdre. »

Je grimace. Lue de cette façon, la phrase est forcément ridicule.

— Dis-moi tout, Pen : tu as bu ?

— Hein ? Mais non !

— Tu es entrée dans une secte ?

— Pas du tout !

— Alors comment peux-tu être amoureuse d'un type que tu viens seulement de rencontrer ?

— Je ne suis pas amoureuse, je proteste, agacée de devoir me justifier. On a passé un moment ensemble et on a bien accroché, rien de plus.

Elliot fronce les sourcils si fort que ses lunettes manquent de glisser.

— Vous avez « bien accroché » ?

— Oui, on a des tas de points communs.

— Il a quel âge ?

— Dix-huit ans.

— Il est étudiant ?

— Non.

— Alors il fait quoi ?

— Rien. Enfin, je ne sais pas. Il est en année de césure, je crois.

J'ai l'impression d'être devant un tribunal.

— Donc tu penses avoir rencontré l'âme sœur, sauf que tu ne sais même pas ce qu'il fait dans la vie ?

— Je n'ai passé que quelques heures avec lui…

Elliot m'adresse un sourire triomphant.

Il commence à m'énerver. Pourquoi est-il si dur ? Et dire que j'étais impatiente de lui parler de Noah !

— On ne s'est pas attardés sur les sujets superficiels.

— Mouais… Tes parents sont au courant ?

— Non ! Surtout qu'il n'y a rien à raconter !

— Rien à raconter ? Pourtant, tu t'es largement répandue sur la toile !

Je me redresse et le défie du regard.

— Je ne me suis pas « répandue sur la toile » ! J'ai écrit *une* note de blog, c'est tout ! En pensant que ça aiderait les gens à affronter leurs peurs. Noah m'a donné d'excellents conseils, figure-toi.

Elliot me toise en retour.

— Ah oui ? Et qui était avec toi dans l'avion ? Pourquoi tu n'en dis rien, de ça, sur ton blog ?

D'un coup, je saisis. Elliot est jaloux !

— Mais enfin… je parle tout le temps de toi dans mes posts ! La fois où tu m'as aidée à choisir ma robe pour la fête du collège ! Et celle où tu m'as appris à masquer mes faux pas !

En vain. Elliot paraît blessé.

— Je n'arrive pas à croire que tu aies abordé le sujet sur ton blog avant même de venir me raconter… Moi, si je rencontrais quelqu'un, tu serais la première à le savoir.

Cette fois, je me sens vraiment nulle. Je pose la main sur son bras.

— J'ai voulu te raconter… Mais, quand je suis rentrée, tu dormais.

— Tu aurais pu me réveiller, réplique-t-il. Et tu aurais pu me rappeler, après mon appel manqué.

— Pardon… Mais, entre nous, ce n'est pas la peine d'en faire un drame : je ne le reverrai sans doute jamais.

Il y a un silence, puis Elliot me prend la main.

— Non, c'est moi qui suis désolé. Ça m'a fait bizarre de lire ta note de blog, voilà tout… J'ai eu l'impression d'être mis à l'écart.

— Je ne te mettrai *jamais* à l'écart, voyons ! Tu es mon meilleur ami !

Je le serre dans mes bras, mais une pointe de déception persiste dans ma poitrine.

J'avais tellement envie de lui faire le récit de ma rencontre avec Noah, d'en parler pendant des heures, dans les moindres détails… Avec ce malaise, c'est désormais impossible.

On toque à la porte, et la voix de papa s'élève :

— Hey, ma fille ! lance-t-il avec un faux accent américain, pire encore que celui d'Ollie. Tu es prête pour le restaurant ?

La soirée aurait dû être merveilleuse. Nous avons dîné dans le quartier chinois, aux *Baguettes guillerettes*, un restaurant où les serveurs étaient déguisés en personnages de Noël. Elliot était redevenu lui-même, et maman paraissait enfin déstresser, mais pour ma part : impossible de me détendre. J'étais hantée par une pensée :

Tu n'aurais pas dû faire ce post sur Noah.

La réaction d'Elliot m'a déstabilisée. C'est la première fois qu'il dit quelque chose de négatif sur mon blog. Alors, bien sûr, je doute…

Tu as peut-être mal interprété ta rencontre avec Noah… Ce soi-disant « lien » entre vous, tu l'as peut-être imaginé…

Quand nous rentrons à l'hôtel, je n'ai qu'un objectif : effacer la note.

— Qu'est-ce que c'est que cette boîte devant ta porte, Penny ? demande maman en approchant de ma chambre.

Mon regard se tourne vers un paquet posé par terre.

— Une bombe ? suggère Elliot en nous regardant, les yeux ronds.

— Pourquoi voudrait-on faire exploser ma chambre ?

— Je ne sais pas… Tu n'es peut-être pas la vraie cible.

Je secoue la tête. Même en tant que « catastrophe ambulante internationale », je ne pense tout de même pas que ma chambre d'hôtel puisse être ciblée par hasard par des terroristes.

— On a dû se tromper de porte, avance mon père en ramassant le colis. Il suffit d'appeler la réception et… Tiens ! C'est bien pour toi, Pen. Regarde !

Mon cœur bat plus vite. Un cadeau de Noah ? Il est le seul à savoir que je séjourne au Waldorf…

Je prends le paquet et l'examine à mon tour. Sur le dessus, il y a écrit :

« Pour Penny. Joyeuse Journée-Tu-Sais-Quoi ! N. »

— C'est de la part de Noah, je murmure en réponse au regard soupçonneux de papa.

— Qui est Noah ?

— Le petit-fils de Sadie Lee, explique maman. Il a emmené Penny chercher le diadème de rechange à Brooklyn.

— Et dans la boîte ? questionne papa avec un haussement de sourcils.

Je feins un bâillement.

— Je ne sais pas… Mais je tombe de fatigue. Je vais me coucher.

Tous m'observent. Mes parents échangent un coup d'œil, et je vois maman adresser à mon père un sourire rassurant.

— Bonne nuit, chérie, réplique-t-elle. À demain, fraîche et dispose !

— Mais…, commence Elliot.

— Bonne nuit ! je coupe.

Et, sans un mot de plus, je me glisse dans ma chambre.

Vite ! Qu'y a-t-il dans cette boîte ? J'ouvre le couvercle, et aperçois une masse de cheveux auburn et soyeux… La poupée ! Il y a aussi une enveloppe et dedans, une lettre.

Hey Penny,

En repassant devant la boutique, cette poupée m'a soufflé que son plus beau rêve serait d'être adoptée par une Anglaise au grand cœur, aux jolies taches de rousseur et aux cheveux magnifiques. Je n'ai pas pu résister ! Même si ça m'obligeait à reparler au Vendeur Infernal… Cette fois, il m'a dit : « Tu n'as pas passé l'âge de jouer à la poupée ? » Haha !

Pour que le règlement de la Journée Magique et Merveilleuse soit respecté jusqu'au bout, je t'envoie en même temps une part du célèbre fondant au chocolat de Sadie Lee.

N.

En effet, je trouve au fond du paquet une part de gâteau dans du papier alu.

Je pose la poupée sur mon oreiller et observe ses yeux verts. Elle a déjà l'air beaucoup plus heureuse ! Toutes les tensions de la soirée s'évaporent d'un coup. Noah est adorable, et il m'apprécie vraiment. Ce n'était pas un rêve, c'est la réalité.

Chapitre 24

Je suis en train d'écrire un SMS de remerciements à Noah quand Elliot frappe à notre porte communicante.

— Pen, je peux entrer ?

— Bien sûr.

Le battant s'ouvre et il entre d'un air penaud. Il est en pyjama, avec une casquette des Yankees à l'envers. Il a enlevé ses lunettes.

— Salut…, dit-il en sondant ma chambre à la recherche du mystérieux paquet.

Son regard tombe sur la poupée.

— Oh !

Je ne peux m'empêcher de sourire.

— Elle est superbe ! s'écrie Elliot en s'asseyant sur mon lit.

— Elle vient de la boutique où on a acheté le diadème. Ce matin, en la voyant, j'ai dit à Noah que la vue de jouets abandonnés m'attristait… Alors il est retourné me l'acheter.

J'attends une réaction cinglante, mais au contraire : Elliot saisit la poupée et lui lisse les cheveux.

— Quelle belle robe…, commente-t-il. De style victorien ! Tu sais combien elle a coûté ?

Je secoue la tête.

— Cher, à tous les coups…, émet-il. Elle n'a rien d'une vulgaire Barbie ! Il t'a aussi envoyé du gâteau ?

— Oui. Fait par sa grand-mère. C'est une cuisinière hors pair.

Elliot repose le cadeau sur l'oreiller et sourit.

— Je comprends mieux pourquoi tu as eu le coup de foudre. Allez, lâche-toi !

— Quoi ?

— Eh bien, raconte ! Je veux tout savoir !

Nous nous glissons sous la couette et je décris à Elliot la journée magique que j'ai passée avec Noah. Quand je mentionne le moment où nos mains se sont effleurées, il se tortille d'excitation. Mais je choisis de taire l'épisode de « l'événement perturbateur »… J'ai envie que cela reste entre Noah et moi.

— C'est trop beau ! s'exclame Elliot à la fin de mon récit. Si tous les Brooklyn Boys sont comme lui, j'émigre !

J'éclate de rire et croque à pleines dents le fondant de Sadie Lee.

— Pardon d'avoir été désagréable, tout à l'heure, Penny…

Dès qu'il prononce ces mots, je repense à ma note de blog. Avec cette histoire de poupée, j'ai oublié de l'effacer…

— C'est moi. J'aurais dû te parler de Noah avant d'écrire mon post.

Nous échangeons un long regard. Quel soulagement... Tout est rentré dans l'ordre.

Enfin, Elliot se lève.

— Je te laisse dormir. Demain sera une grosse journée.

— Oui, et pourtant, je n'ai presque pas passé de temps avec toi aujourd'hui... Je suis désolée.

— Je me suis éclaté avec ton père ! Demain, le programme c'est : Statue de la Liberté et visite du New York secret !

— Le New York secret ?

— Ouaip ! On verra même le tombeau caché des vingt mille victimes de la fièvre jaune !

— Trop cooool !

Elliot parti, je vais m'installer dans le fauteuil près de la fenêtre avec mon téléphone et une couverture. Je tape le numéro de Noah, et la tonalité américaine ronronne à mon oreille. Plus les secondes passent, plus je suis tendue. Heureusement, à la troisième sonnerie : « Salut, toi... »

— Salut, je réponds. Merci pour la poupée.

— Je t'en prie, miss Penny... Dis-moi, tu es près d'une fenêtre ?

— Oui !

— Tu vois la lune ?

— Non, attends...

J'ouvre un battant et regarde dehors. Une parfaite pleine lune est suspendue au-dessus de l'Empire State Building. Mais ce ne sont ni sa taille ni sa forme qui me sidèrent ; c'est sa couleur. Un roux intense et luisant.

— Magnifique ! Mais d'où vient cet orange ?

— D'après moi, c'est l'œuvre d'extraterrestres tagueurs, mais Sadie Lee prétend que c'est la pollution...

— Ah... Je préfère ton histoire d'extraterrestres.

— Moi aussi. Bon, je dois te confier quelque chose : dans la mesure où tu as eu beaucoup d'effet sur moi...

— Comment ça ?

— Disons que ce n'est pas dans mes habitudes d'acheter des poupées en porcelaine...

J'éclate de rire.

— Je disais donc : ... la moindre des choses serait qu'on se revoie avant ton départ.

— J'adorerais ! Mais quand ?

— Si je passais demain, après le mariage ? Sadie Lee pense que la réception sera finie vers minuit.

Je songe aussitôt à mes parents. Ils n'accepteront jamais que je sorte après minuit.

— On ne quitterait pas l'hôtel, bien sûr, précise-t-il comme s'il lisait dans mes pensées.

— Ce serait génial !

Je serre la couverture comme si c'étaient les bras de Noah.

— Super, réplique-t-il d'une voix douce. À demain, alors.

— Oui, à demain.

— Bonne nuit, Penny.

— Bonne nuit, Noah.

Je pose mon téléphone et prends une inspiration. Puis je regarde dehors et fixe cette lune incroyable. Je me sens différente. Pour la première fois, j'ai l'impression d'être aux commandes de mon existence.

Chapitre 25

Le lendemain matin, avant même d'ouvrir les yeux, je sais que je vais vivre une journée merveilleuse pour une simple raison : je vais revoir Noah. J'ouvre les yeux et aperçois la poupée qui m'observe, allongée sur le côté.

— Coucou, bien dormi ? je souffle, tellement exaltée que parler à un jouet ne me pose aucun problème.

J'imagine sa réponse : « Pas trop, non… Mes paupières sont collées, ça n'aide pas à passer des nuits sereines ! »

Je me lève pour prendre une douche, puis m'installe en tailleur sur mon lit, mes cheveux mouillés enroulés dans une serviette, et j'ouvre mon ordinateur. Mon cœur palpite pendant que j'accède à mon blog.

Et si tes lecteurs ont trouvé ta dernière note ridicule ? Les commentaires sont peut-être négatifs, cette fois ?

Il n'en est rien. Les réactions sont toutes plus adorables les unes que les autres. La plupart des internautes ont répondu d'un petit cœur et demandent des précisions sur Brooklyn Boy. Je souris, soulagée.

Mon téléphone bipe. Pourvu que ce soit un SMS de Noah… !

Gagné !

Noah : J'ai rêvé que je te faisais visiter tout New York et que chaque endroit se transformait en gâteau. Qu'est-ce que ça peut bien vouloir dire ?! N.

Je m'empresse de répondre :

Penny : Que tu as été frappé par la magie de la Journée Magique et Mystérieuse ? Super rêve, en tout cas... Imagine à quoi ressemblerait l'Empire State Building métamorphosé en gâteau !

Noah : Tu as regardé par la fenêtre ?

Penny : Non, pourquoi ? La lune est verte ?

Je m'avance vers la fenêtre et tire les rideaux. Il neige ! La ville semble avoir été saupoudrée de sucre…

Penny : Magnifique !

Noah : Ouaip ! ça sent Noël ! Passe une belle journée et rendez-vous à minuit !

Penny : Merci ! Toi aussi !

Cette fois, c'est certain : je m'apprête à vivre la journée la plus *longue* de ma vie, parce que ma seule hâte, c'est d'être à ce soir pour retrouver Noah !

Les invités du mariage commencent à arriver, et les salons réservés pour la cérémonie et la réception ressemblent à s'y méprendre à l'intérieur de l'abbaye de Downton. Les hommes, en costume gris et noir, cheveux plaqués en arrière, sont tous très élégants. Quant aux femmes, elles offrent un festival de robes colorées, style années vingt, en satin et en dentelle, ornées de perles et de sequins. Même les enfants sont en tenue d'époque, et ressemblent à des poupées à bottines lacées. À côté, ma propre tenue est un peu décevante : une simple robe noire de serveuse rehaussée d'un tablier blanc.

Tandis que le photographe professionnel fait poser les témoins, je me faufile dans la foule, mon appareil en main, pour capter des scènes plus impromptues, par exemple deux demoiselles d'honneur se chuchotant à l'oreille. Puis une voix annonce l'entrée de la mariée et, alors que les invités prennent place, je fais une photo de Jim, seul devant l'autel, l'air aussi heureux que stressé.

L'échange des vœux est très touchant (les mariés ont finalement renoncé à imiter l'accent anglais… sage décision !), ponctué d'anecdotes rigolotes. À la fin de la cérémonie, je suis en larmes…

Quand les invités se dirigent vers la salle de réception, maman me prend à part.

— Pen, tu ne devineras jamais ! me souffle-t-elle, les yeux brillants. On m'a proposé une nouvelle mission, ici, à New York !

— Quoi ? Quand ?

— La semaine prochaine ! Tu vois, la jeune femme un peu forte, là-bas, avec de longs cheveux ?

Je suis son regard et acquiesce.

— Elle fête ses trente ans le 31 décembre, et voudrait que j'organise une soirée sur le thème des rockers des années soixante.

— Mais... on rentre à Brighton demain ! Tu ne comptes quand même pas rester ici toute seule ?

— La cliente paiera pour le prolongement de notre séjour. Ce qui signifie que nous passerons Noël et le Nouvel An ici ! Tu n'imagines pas combien ces personnes sont riches...

— On passe Noël ici ? je répète, hébétée.

— Oui, j'en ai parlé à ton père, il est d'accord.

— Mais... et Tom, alors ? Et Elliot ?

— Elliot peut rester, tant que ses parents sont d'accord. Quant à Tom, il m'a envoyé un message ce matin demandant la permission de passer le réveillon dans la famille de Melanie.

Je prends conscience de ce que signifie ce coup de théâtre... : je vais pouvoir passer du temps avec Noah ! Rien ne pourrait me rendre plus heureuse !

Pourtant, le meilleur reste à venir :

— Et Sadie Lee a proposé qu'on passe Noël chez elle, à Brooklyn ! précise maman.

Elliot et papa nous attendent dans la salle de réception. Elliot est très beau, en costard cravate. Dommage que je ne sois pas à la hauteur avec ma tenue de serveuse… Surtout, j'aurais aimé être plus apprêtée pour voir Noah…

Cindy et Jim dansent leur première valse, entourés de leurs invités ravis. Cindy, qui s'est éclipsée pour se changer, arbore à présent une superbe robe à franges argentées qui reflète les lumières scintillantes. Puis les musiciens exécutent les premières notes de *Unchained Melody* et je repense à ma première vision de Noah, hier, sur cette même estrade. Un coup d'œil à la grande horloge, et j'ai l'impression d'être Cendrillon – sauf que moi, j'ai *hâte* d'être à minuit !

— Tu ne vas pas te changer, chérie ?

Je me tourne vers ma mère qui observe ma tenue.

— Me changer ?

— Je ne t'ai pas dit, pour la robe ?

Je lui renvoie un regard perplexe.

— Pardon, j'ai dû oublier… Va voir dans ma chambre, il y a quelque chose pour toi.

Elle me tend sa clé, avec un sourire énigmatique. Je prends une dernière photo d'une demoiselle d'honneur rampant sous la table avec une cuisse de poulet, puis je file aux ascenseurs.

Ma première réaction, quand j'entre dans la chambre de mes parents, est d'éclater de rire. Le côté de papa est presque vide – seule trône sur sa table de nuit la biographie d'un obscur sportif, et sa valise est rangée contre le mur. Du côté de maman, c'est l'apocalypse : des habits, des accessoires et des boîtes de maquillage reposent en pagaille sur le lit et au sol ! J'enjambe les sacs et les chaussures pour accéder au lit.

Une magnifique robe en soie émeraude, avec un liseré de perles, est étendue sur le matelas. Il y a aussi un serre-tête brillant, et une paire de salomés à talons. La tenue est si belle que je me demande si elle est bien pour moi, puis j'aperçois un Post-it sur le cintre :

« Penny »

Aussitôt, le doute m'assaille...

Et si cette tenue te va mal ? Si elle te donne l'air ridicule ?

Je m'empare tout de même de la robe. Comment être ridicule là-dedans ? Je retire ma panoplie de serveuse et passe le vêtement. Le tissu est si doux que j'en frémis. Puis je me poste devant la grande glace... et je souris. Cette coupe et cette couleur me vont à merveille. On dirait une star de cinéma. J'enfile les chaussures, puis j'observe mes cheveux dans le miroir. Je pourrais les relever en chignon, mais ça ne collerait pas avec le style années vingt...

Je saisis la brosse de maman sur sa table de nuit et, une fois ma crinière lissée, je fais deux tresses que j'attache en couronne, puis j'ajoute le serre-tête. Je prends place devant la coiffeuse et dessine un trait d'eyeliner sur mes paupières. Une touche de poudre, une goutte de parfum et je suis prête. Je m'avance vers la psyché pour une dernière vérification.

Je repense au matin où je me préparais pour mon rendez-vous avec Ollie… Comme j'étais stressée ! Rien à voir avec aujourd'hui… pourtant c'était il y a seulement une semaine ! À présent, je suis une tout autre personne.

Chapitre 26

Mes parents et Elliot sont attablés dans le coin de la salle de réception.

— Chérie ! m'appelle maman.

Papa reste bouche bée quand il m'aperçoit.

— Tu es…

— Frange-tastique ! s'exclame Elliot.

Je fais un tour sur moi-même avant de m'asseoir.

— Merci beaucoup, maman !

— Ma petite fille qui grandit…, commente mon père avec mélancolie.

— Arrête, papa ! je réplique en rougissant.

— Je vais essayer de rappeler mes parents, intervient Elliot en se levant. Croisez les doigts pour qu'ils m'autorisent à passer Noël ici…

Tandis qu'il s'éloigne, maman se penche vers moi.

— Sadie Lee m'a dit que Noah passait te voir plus tard ?

J'acquiesce. Papa toussote :

— On dirait que je vais devoir faire la connaissance de ce fameux Noah…

— C'est chez sa grand-mère que nous sommes invités pour Noël, explique maman.

Ces mots sont comme une douce mélodie à mon oreille… complétée par un bip de texto.

Noah : Salut ! Tu pourrais t'échapper en avance de la réception ? N.

Penny : En avance de combien ?

Noah : De genre... maintenant ?

Penny : Tu es à l'hôtel ?

Noah : Oui, au parking. On peut se retrouver à la cuisine si tu es dispo...

Mes parents se lèvent pour danser. Je les retiens avant qu'ils s'éloignent.

— C'était Noah ! Il est déjà arrivé. Je peux aller le voir ?

— Bien sûr, acquiesce ma mère.

— Et ramène-le ici, suggère papa par-dessus son épaule. Cindy et Jim n'y verront aucun inconvénient.

Je file à la cuisine et tombe sur Sadie Lee en pleine vaisselle. Je ne l'ai presque pas vue de la journée tellement elle a été occupée.

— Bonjour, ma jolie, me lance-t-elle avec son sourire radieux.

Elle a le visage un peu rouge et quelques mèches se sont échappées de son chignon, mais cela n'enlève rien à sa classe naturelle.

— Comme tu es belle ! ajoute-t-elle en me contemplant.

— Merci, c'est ma robe de soirée…

— Superbe… Laisse-moi regarder de plus près.

Elle s'approche et examine les perles sur mes manches.

— Tu me rappelles une photo de ma grand-mère, elle était parmi les premières de son époque à porter des robes à franges. Tu vas donner le tournis à Noah !

Je ne peux m'empêcher de rougir.

— Justement, il est arrivé… Il est au parking.

— Je sais, réplique Sadie Lee avec un sourire complice.

Pour masquer mon excitation, je poursuis la discussion.

— Merci de votre invitation pour le réveillon.

— Je t'en prie, ma chérie. J'adore recevoir à Noël. Ça me rappelle le temps où…

Elle s'interrompt. Elle pense certainement aux parents de Noah…

— J'ai appris…, je souffle. Pour l'accident.

Je me mords la lèvre, craignant de m'être trop avancée. Mais Sadie Lee me répond avec douceur :

— Noah t'a dit ?

J'acquiesce.

— Il t'apprécie beaucoup, tu sais.

— C'est… réciproque.

— Je suis sincèrement heureuse qu'il t'ait rencontrée, Penny... Qu'il ait une personne à qui parler. Il subit beaucoup de...

— Hello, miss Pe...

Je fais volte-face et me trouve nez à nez avec Noah qui me fixe, les yeux ronds.

— Qu'est-ce que je t'avais dit ! me glisse Sadie Lee avec un coup de coude.

— Tu es... radieuse ! souffle Noah, toujours posté dans l'embrasure de la porte.

— Merci...

Il porte un jean slim noir et une veste en cuir tanné par-dessus un sweat à capuche gris. Il sourit, et ses fossettes se creusent. Il est si craquant que je ne sais pas ce dont j'ai le plus envie : le prendre en photo ou l'embrasser !

Il jette un coup d'œil à sa grand-mère et demande :

— Tu l'as ?

— Et comment ! rétorque-t-elle en exhumant un panier à pique-nique de sous le plan de travail.

— Chère demoiselle, me dit alors Noah sur un ton de gentleman, accepteriez-vous de pique-niquer en ma compagnie ?

— Un pique-nique ?

— Oui. Mais pas un pique-nique basique, précise-t-il, une étincelle dans l'œil. Un pique-nique *au clair de lune* !...

Mon cœur se serre. Maman et papa ne me permettront jamais de quitter l'hôtel...

— ... Sur la terrasse secrète du Waldorf, ajoute Noah. Elle est juste derrière cette cuisine.

Sadie Lee glousse.

— Avec plaisir, je réponds avec un sourire. Sadie Lee, vous pourriez prévenir mes parents ? Ils sont en train de se ridiculiser sur la piste de danse…

— Bien sûr. Mais tu ne risques pas de mourir de froid, dans cette robe ?

— T'inquiète, Mam', intervient Noah. J'ai pensé à tout.

— Voilà qui ne m'étonne pas de toi ! Amusez-vous bien, les jeunes. Mais ne tardez pas trop. Je ne voudrais pas que les parents de Penny pensent qu'elle a été enlevée !

Sadie Lee partie, Noah soulève le panier.

— Si tu pouvais inviter un personnage de film à pique-niquer avec nous, qui ce serait ?

Décidément, Noah a le don des questions bizarres qui détendent l'atmosphère !

— Gus, de *Nos étoiles contraires*. Pour pouvoir le ramener à la vie.

— Excellente réponse. Moi, j'inviterais l'espèce de mauviette de *Twilight*. Pour l'étrangler.

Je ris et, quand nos regards se croisent, je suis traversée par un courant si puissant que j'en perds le souffle.

— Je suis content de te voir, déclare Noah, d'une voix douce.

— Je t'en prie, c'est moi.

Hein ? « Je t'en prie, c'est moi » ??! Qu'est-ce que c'est que cette réponse bidon ? Encore un coup du Dieu des Moments Gênants…

— C'est toi ? répète-t-il sans comprendre.

— Non…

— Alors, tu n'es pas contente de me voir ? insiste-t-il, inclinant la tête avec un sourire en coin.

— Bien sûr que si ! Ce n'est pas ce que je voulais dire. Je…

Je me détourne pour masquer mes joues cramoisies, puis je corrige :

— Je voulais juste dire merci.

— *Je t'en prie, c'est moi !* réplique Noah, et nous éclatons de rire. Allez, en route !

Il me conduit vers une petite porte que j'avais prise pour un cagibi. Elle s'ouvre sur un couloir étroit menant à l'escalier de service.

— C'est ici que les employés de l'hôtel viennent fumer, confie Noah.

Il esquisse un sourire avant d'ajouter :

— Mais, pas d'inquiétude, on va en faire un coin super sympa ! Par contre, j'ai beau trouver ta robe sublime, ça m'ennuierait que tu attrapes une pneumonie…

Tout en parlant, il sort un second sweat à capuche de son sac et me le tend. Je l'enfile aussitôt. Le vêtement est tellement grand qu'il m'arrive aux genoux.

— Il te va dix fois mieux qu'à moi ! commente Noah.

Et voilà : en une petite phrase, il décuple ma confiance en moi.

Nous nous trouvons à présent sur une terrasse entourée de rambardes. Noah me mène vers une petite alcôve, et étend au sol la couverture à carreaux de sa voiture.

— Après vous, gente demoiselle, dit-il avec un geste d'invitation.

Il s'installe face à moi et sort du panier un Thermos et deux tasses, puis deux assiettes en porcelaine et des couverts en argent. Il déballe plusieurs petites boîtes entourées de papier alu et je découvre un assortiment de canapés et de cupcakes au chocolat et à la fraise.

— Et ça, commente-t-il en brandissant deux bougies et une boîte d'allumettes, c'est la petite touche de Sadie Lee… Ma grand-mère est une romantique dans l'âme !

Il allume les mèches et nous gardons un instant le silence.

— J'espérais que la nuit serait claire, avoue Noah en levant la tête, histoire qu'on voie la lune ensemble.

— Tout est parfait.

La rumeur de New York gronde, mais nous sommes si haut que les sirènes et les klaxons sont aussi doux que des chants d'oiseaux.

— On pourra peut-être s'écrire quand tu seras rentrée en Angleterre…, suggère Noah en ouvrant la gourde dont s'élèvent des volutes de vapeur. Et puis se skyper et se whatsapp'er ?

Il soupire et ajoute :

— J'aimerais tellement que tu ne partes pas demain.

Je souris. Visiblement, Sadie Lee ne lui a pas dit que nous prolongions notre séjour. À tous les coups, elle a voulu me laisser ce plaisir !

— Pas la peine de prendre un air si ravi ! rétorque Noah.

— Je ne suis pas ravie de partir. Je suis ravie de *rester* ! Ma mère organise une soirée d'anniversaire ici, le 31 décembre. On ne part qu'après !

— Tu plaisantes ?

— Eh, non !

De l'index, il me fait signe de m'approcher. Je m'exécute et il attrape ma main. Je suis si heureuse que j'en ai le tournis. Je prends une inspiration et continue :

— Mais le mieux...

— Parce qu'il y a mieux ?

— Oui ! C'est que Sadie Lee nous a invités à passer Noël chez vous !

— C'est vrai ? C'est trop cooool !

D'un coup, il devient sérieux.

— Donc...

— ... Donc..., je répète, le cœur battant.

Nous sommes si proches que je distingue les moindres détails de sa peau, et même une mini-tache d'encre sur sa joue. Il me serre la main plus fort, ce qui mécaniquement me fait avancer encore un peu. Nos visages ne sont plus qu'à quelques centimètres l'un de l'autre.

Il va m'embrasser ! Il va m'embrasser ?!! Qu'est-ce qu'il faut faire ?!

Je ferme les paupières et sens ses lèvres sur les miennes. Je l'embrasse en retour. Et, incroyable mais vrai, je sais m'y prendre en baiser ! Il m'attire contre lui et m'enlace. Nous ne faisons plus qu'un.

Mon téléphone sonne mais je ne décroche pas.

— Je te l'avais dit, murmure enfin Noah, tu es mon événement perturbateur…

J'acquiesce.

— Il faut que je regarde qui m'a appelée, dis-je, en priant pour que ce ne soit pas papa me demandant de rentrer tout de suite.

Mais le coup de fil manqué vient d'Elliot. J'écoute son message : « Penny ! T'es où ? Ta mère m'a dit que tu avais filé avec ton Prince charmant. Reviens vite, s'il te plaît. C'est la cata : mes parents ne veulent pas que je reste. Ils m'ordonnent de retourner à Brighton pour Noël… Tout seul, en plus ! Sauf si… »

Mon cœur se serre quand il prononce les derniers mots :

« … tu veux rentrer avec moi ? »

Chapitre 27

Noah m'observe d'un air inquiet.

— Qu'est-ce qui se passe ? On dirait que tu viens d'apprendre une mauvaise nouvelle. Rassure-toi, cette histoire de « Père Noël qui n'existerait pas », c'est une simple rumeur lancée par les adultes !

Je feins un éclat de rire, mais le cœur n'y est pas.

— C'est mon ami Elliot. Ses parents refusent qu'il prolonge son séjour. Il doit rentrer demain.

— Dommage…

Nous nous regardons un instant, puis Noah brandit le Thermos.

— Un thé ?

J'acquiesce. Mais la question d'Elliot continue de me tourner dans la tête. Je suis tiraillée… Je ne souhaite pas qu'il rentre seul en avion, mais j'ai encore moins envie de quitter mes parents, et surtout Noah…

Je prends une gorgée de thé : c'est un arôme citronné et très sucré, un peu comme de la limonade chaude.

— Délicieux...

— Encore une spécialité de Sadie Lee, souligne Noah. En Caroline du Sud – là où elle a grandi –, ils en boivent l'été avec de la glace. Ma grand-mère a inventé la version hivernale pour New York.

Je prends une deuxième gorgée et tente de me remettre dans l'ambiance. En vain. Mes pensées sont focalisées sur Elliot.

— Ça t'ennuie si on retourne à la réception ? Mon pote avait l'air super stressé dans son message. Il voudrait me parler.

Noah semble déçu, et je me sens coupable. Mais je ne peux pas faire attendre Elliot, surtout après notre dispute d'hier.

— Toi, va le voir, réplique-t-il. Je vais rentrer à la maison.

— Non ! Enfin je veux dire, tu ne veux pas m'accompagner ?

— Je ne peux pas m'incruster à un mariage ! De toute façon, on se voit demain.

— Ta présence ne dérangerait pas Cindy et Jim ! C'est même mon père qui me l'a dit ! Ils sont très sympas. Je leur expliquerai que tu es le petit-fils de Sadie Lee... et qu'on est ensemble !

Il hausse les sourcils.

— Ah, vraiment ? répond-il avec un sourire. On est ensemble ?

— Oui ! Ne pars pas, s'il te plaît.

— Quand je suis venu ce soir, je pensais que c'était pour te dire au revoir. Mais tu restes encore une semaine entière, alors pas de stress ! Ça ne m'ennuie pas d'attendre jusqu'à demain. Va voir ton ami. Mieux vaut que je ne vous encombre pas.

— Tu ne nous encombrerais pas, tu…

Noah pose l'index sur mes lèvres.

— Chhhut…

— Et notre pique-nique ?

— On en refera tous les jours si tu veux. Allez, va rejoindre Elliot. Mais d'abord…

Il m'attire à lui et m'embrasse, en tenant mon visage entre ses deux mains.

— Waouh…, fait-il quand nous reprenons notre souffle.

— Top niveau ! je souligne, fidèle à mon habitude de faire un commentaire débile dans les moments les plus délicats.

— C'est sûr, approuve Noah, amusé.

Je suis écarlate mais ça m'est égal. Je sais que Noah n'y prête pas attention.

Quand je regagne la réception, mes lèvres fourmillent encore de nos baisers. Mais la vision d'Elliot, seul à table et l'air abattu, me fait vite revenir sur Terre.

— T'étais où ? me demande-t-il dès qu'il m'aperçoit.

— Désolée. Noah m'a emmenée pique-niquer et…

— Pique-niquer ?

— Oui. Mais ne t'inquiète pas, je…

— Et maintenant, il est où ?

— Rentré chez lui.

— Hein ? Pourquoi ? Je t'ai dit que tu pouvais l'amener.

— Il ne voulait pas s'incruster.

— Ça n'aurait pas dérangé Cindy et Jim !

— Je sais… Mais raconte-moi plutôt… Qu'ont dit tes parents ?

— Ils ont paniqué, réplique-t-il en époussetant machinalement la nappe. Pour eux, pas question que je passe Noël ici. D'après mon père, « ce n'était pas ce qui était convenu »… Ils préfèrent me faire rentrer en avion *tout seul*, soi-disant parce qu'il est important de passer les fêtes en famille. Cela dit…

Il marque un temps pour donner plus de poids à ses paroles.

— … Ils ont dit que tu serais la bienvenue chez nous si tu voulais rentrer avec moi.

— Je…

— Ah ! Te revoilà ! s'exclame papa en s'affalant sur une chaise.

D'après ses joues rouges, il s'est donné à fond sur la piste de danse !

Maman s'assoit à son côté, visiblement moins essoufflée (il faut dire qu'elle garde de bonnes bases de l'époque où elle était comédienne).

— Où est Noah ? demande-t-elle.

— Rentré.

— Déjà ? Il aurait pu se joindre à nous ! Les Brady n'y auraient vu aucun inconvénient.

Décidément, ils se sont passé le mot !

— Je voulais voir Elliot. À propos de ses parents.

Papa prend un air désolé.

— Nous sommes au courant… Quel dommage. Sans notre cher Elliot, ce ne sera pas tout à fait Noël.

Ce dernier soupire, avant de se retourner vers moi.

— Alors, Pen, verdict ?

— Je ne sais pas…

Comment m'en sortir sans le blesser ?

— À quel sujet ? questionne mon père.

— Mes parents ont dit que Penny était la bienvenue chez nous pour Noël si elle avait envie de rentrer avec moi.

Je jette un coup d'œil d'espoir à mes parents, et les supplie télépathiquement de m'interdire de partir. Maman esquisse une moue sceptique. Elliot insiste :

— Les plats surgelés de mes parents ne valent pas vos festins, Rob… Mais peu importe puisque, cette année, vous dînerez à l'hôtel.

— Non, réagit maman, Sadie Lee nous invite chez elle.

— Sadie Lee ?

— Le traiteur.

— Je ne savais pas…

MERCI !!! Voilà qui m'évite d'avouer à Elliot que je n'ai aucune envie de rentrer avec lui. Je peux tout mettre sur le dos de mes parents !

— On ne reste qu'une semaine de plus, je précise en observant sa mine défaite.

— Huit jours, tu veux dire !

— Oui, huit jours. On pourra se skyper.

— Si tu n'es pas trop occupée…

Soudain mon père se dresse, l'index brandi.

— Eh ! C'est notre chanson !

Je tends l'oreille ; en effet, les premières notes de *When a Man Loves a Woman* retentissent dans la salle. Papa tend la main à maman.

— Madame, m'accordez-vous cette danse ?

— Mais avec le plus extrême plaisir !

Je souris alors qu'ils se dirigent vers la piste. Pendant longtemps, leurs effusions publiques m'ont mise mal à l'aise – c'était comme s'ils appartenaient à un « Club des Super Couples » dont l'accès m'était défendu –, mais à présent que je suis avec Noah, cette vision me procure un profond bien-être.

— Je vais boucler ma valise..., déclare Elliot, l'air sombre.

Je me lève en même temps que lui.

— Je t'accompagne !

Si seulement je pouvais trouver quelques paroles de réconfort...

— Un festin de minuit, ça te dit ? je tente. J'ai toujours le panier à pique-nique...

— J'ai pas faim.

— Même de fraises au chocolat ?

— Il t'a apporté des *fraises au chocolat* ?!

J'acquiesce, un peu inquiète... Je peine à cerner son état d'esprit...

— Ce type n'a vraiment *aucun* défaut ? ajoute-t-il, agacé.

Par principe, je rétorque :

— Bien sûr que si !

Alors qu'en vrai, je ne lui en connais aucun...

Ce n'est qu'après avoir bouclé sa valise qu'Elliot se déride enfin.

— Désolé, Penny…, s'excuse-t-il en s'affalant sur son lit. J'étais tellement déçu de ne pas passer Noël avec vous… Mais dans le fond, ce n'est pas plus mal que je rentre à Brighton. Une semaine de plus ici et je me transformais en gros dindon…

Je m'assois à son côté.

— Tu sais, fais-je remarquer, Noah et moi, on habite à dix mille kilomètres l'un de l'autre…

— Quatre mille !

— Quatre mille, si tu veux. Ça reste un océan, donc notre relation ne risque pas d'affecter notre amitié à toi et moi. Cette histoire, c'est seulement…

— Un amour de vacances ?

— Voilà, un amour de vacances.

Il sourit, et je suis troublée par une pensée. Depuis toutes ces années, c'est la première fois que je lui mens.

Chapitre 28

J'ai lu dans un magazine que nos rêves avaient un sens caché. Par exemple, rêver qu'on grimpe une montagne sans en atteindre le sommet, ça signifie qu'on se sent coincé dans sa vie. Rêver qu'on perd ses dents, c'est se sentir vulnérable… Il existe même des professionnels de l'interprétation des rêves et, en cette veille de Noël, je me demande ce qu'ils diraient de mon cauchemar de cette nuit. J'étais dans un train avec Megan et Ollie et, à chaque arrêt, le conducteur faisait une annonce gênante à mon sujet. Au lieu du classique : « Mesdames et messieurs, nous entrons en gare de… », on entendait : « Mesdames et messieurs, saviez-vous que Penny Porter a montré sa culotte au monde entier ? », et Megan et Ollie riaient aux éclats. Pire, ils me retenaient par la manche à chaque fois que je voulais m'enfuir. À la fin, mon siège se transformait en gâteau et je me retrouvais les fesses pleines de chocolat.

J'allume ma lampe de chevet et m'assois. Je déteste les rêves… ce sont des traîtres qui nous obligent à repenser aux choses et aux personnes qui nous ont blessés. Je serre la poupée dans mes bras.

Soudain, j'ai une furieuse envie de consulter la fameuse vidéo sur Facebook et YouTube. Combien comporte-t-elle de commentaires à présent ?

Non, Penny ! Pourquoi t'infliger ça ? Alors que tu as réussi à écarter toute cette affaire depuis ton arrivée à New York !

Je parcours la chambre du regard, et la tristesse m'envahit. C'est mon dernier matin au Waldorf-Astoria… Bizarrement, je me suis attachée à ce lieu. C'est ici que ma vie s'est transformée en conte de fées. Ici que j'ai compris que j'avais les commandes de ma vie.

Je décide de faire quelques photos. D'abord, je prends mon lit défait, avec la poupée sur une pile de coussins ; puis la pièce sous différents angles, ainsi que la vue. Enfin, je photographie le fauteuil devant la fenêtre, avec la couverture du soir de la lune rousse.

Après cette session, j'ai l'impression d'y voir plus clair : Megan, Ollie, le spectacle… tout cela appartient au passé. Ma mission : garder le cap sur le présent, c'est-à-dire sur New York et sur Noah.

Le cœur plus léger, j'allume la télé – MTV diffuse des clips de Noël en continu. Je virevolte sur *Vive le vent*, tant et si bien que j'oublie une bonne fois pour toutes mon cauchemar. Enfin, je m'étends sur le lit en souriant à ma poupée.

— Joyeux Noël ! lui dis-je, hors d'haleine.

À la table du petit-déjeuner, je retrouve l'Elliot joyeux que j'aime.

— J'ai manigancé un plan, me glisse-t-il tandis que je verse du sirop d'érable sur mes pancakes. Ça s'appelle : « Opération sabotage du Noël de mes parents. » Après ça, je peux te dire qu'ils se mordront les doigts de m'avoir obligé à rentrer.

— Raconte !

— D'abord, je leur annoncerai que je quitte le collège pour rejoindre une communauté hippie. Ensuite, je leur révélerai mon nouveau nom hippie : Goutte de Pluie.

Quand il atteint le dixième point – « Je leur ferai croire que je sors avec un gars prénommé Hank et membre des Hell's Angels » – nous avons tous les deux des crampes à force de rire.

Après le petit-déjeuner, mes parents et moi déposons nos bagages à la consigne de l'hôtel et accompagnons Elliot à l'aéroport.

— Je te plains de devoir faire le vol tout seul…, je lui glisse quand le taxi stationne devant le terminal.

— Ça va, y a pire… Si ça se trouve, ça me donnera un air mystérieux et sexy… Au moins, je ne passerai pas inaperçu.

Je m'esclaffe.

— Surtout dans cette tenue !

Il arbore son blazer préféré, des chaussures en cuir verni et un monocle – *un monocle !* – avec sa désormais inamovible casquette des Yankees. Et, comme toujours, ça lui donne un style super classe.

— Tu vas me manquer, Pen-Pen, murmure-t-il en me prenant dans ses bras.

— Toi aussi…

— Profite bien de ton amour de vacances.

— Moui…

— Si, vraiment ! insiste-t-il, en se reculant d'un pas pour me regarder dans les yeux. Tu le mérites, après tout ce que tu as traversé.

Les larmes me montent aux yeux.

— Merci…

— Et prépare-toi : à ton retour, je voudrai connaître les *moindres* détails !

Les haut-parleurs annoncent son vol et, après un dernier au revoir, il s'avance vers les douanes.

— Sadie Lee m'a envoyé un SMS, déclare maman quand nous regagnons la file de taxis. Elle nous attend avec une fournée de brownies tout frais !

Mon téléphone vibre à son tour. C'est Noah.

Noah : Salut ! Tu es douée en décoration de sapin ?

Penny : Tu parles à la triple championne du monde en déco de sapin ☺

Noah : Triple ? Ça fera l'affaire. ☺ Alors dépêche-toi d'arriver, Événement Perturbateur ! Ma sœur, le sapin et moi, on t'attend !

À l'aller, j'étais tellement focalisée sur Elliot que je n'ai même pas pensé à la route. Mais le trajet retour est une tout autre histoire, et quand le taxi s'arrête devant le Waldorf-Astoria où nous devons récupérer nos bagages, je n'ai qu'une idée : en sortir et rejoindre Brooklyn à pied !

Tu peux le faire ! Tu es Océane la Battante !

Mais, Elliot parti, cette technique marche moins bien… Je pense à mon ami, seul dans son avion, et j'ai la gorge nouée. Puis je me rappelle le conseil de Noah.

Pendant que le portier charge nos bagages dans le taxi, je m'efforce de sentir où, dans mon corps, se situe mon angoisse. Elle est logée dans ma gorge… là où ça serre. Je ferme les paupières et tente de lui donner une couleur et une forme. C'est une main rouge, qui m'agrippe la trachée – une vision terrifiante qui, d'abord, me donne envie de rouvrir les yeux ! Mais je m'oblige à respirer lentement et à accepter cette image.

Mes parents discutent avec le chauffeur, qui vient de remettre le contact pour nous emmener à Brooklyn, pourtant leur voix n'est qu'un bruit de fond. Je reste concentrée sur la main écarlate… qui paraît moins vive à présent. Plus petite, aussi.

Tout va bien…

Lentement, je me détends. C'est maintenant un nœud qui me serre la gorge, et non plus un poing.

Respire… Tout va bien…

Alors, le nœud pâlit puis disparaît. Maman me donne un coup de coude.

— Tu as vu comme ce pont est beau, chérie ?

J'ouvre les yeux : nous passons déjà sous la première voûte du pont de Brooklyn ! À l'autre bout, les immeubles de Brooklyn scintillent au soleil.

Après le pont, la voiture s'engage dans une rue résidentielle bordée d'arbres et de maisons de pierre brune, hautes de quatre étages. Nous stoppons au pied d'un escalier conduisant à une porte rouge. Une couronne de Noël y est accrochée.

— Ravissant ! s'émerveille maman.

À peine émergée du taxi, je suis assaillie de pensées négatives.

Et si ça tournait mal entre Noah et moi ? Si passer Noël ensemble était une mauvaise idée ?

Heureusement, je n'ai pas le temps de me torturer l'esprit : la porte s'ouvre et une petite fille se précipite au-dehors. Ses cheveux noirs et brillants forment de parfaites anglaises autour de son visage. Elle nous observe d'un œil timide.

— Vous êtes venus pour Noël ? demande-t-elle avec un adorable accent new-yorkais.

— Eh oui ! réplique papa d'un ton jovial.

Sadie Lee surgit à son tour, vêtue d'un tablier.

— Hello !

Derrière elle : Noah.

— Salut, lance-t-il quand nos regards se rencontrent.

— Salut…

J'entreprends de soulever ma valise, histoire de masquer ma gêne, et il se précipite à mon secours.

— Je m'en occupe !

Il dévale les marches et, arrivé à hauteur de papa, se présente, la main tendue.

— Bonjour, je suis Noah.

— Ravi de faire ta connaissance, réplique mon père avec chaleur. Moi, c'est Rob.

Ouf ! Jusqu'ici, tout va bien !

Pendant que je monte l'escalier, Bella me demande :

— C'est toi, Penny ?

— Oui. Et toi, je parie que tu es Bella.

Elle acquiesce timidement et se tourne vers son frère avec un sourire.

— Tu avais raison, lui souffle-t-elle.

— À quel sujet ? je demande.

— Tu ressembles à une sirène…

— Bella ! s'exclame Noah d'un air faussement contrarié. Je croyais que tu savais garder un secret !

La maison semble tout droit sortie d'une comédie de Noël américaine. L'entrée fait la taille de mon salon, avec une magnifique horloge dressée dans un coin et un large escalier. Noah et Sadie Lee nous conduisent dans une vaste cuisine, qui embaume les brownies tout juste sortis du four.

Sadie Lee propose à mes parents de s'installer dans la chambre d'amis.

— Toi, Penny, ajoute-t-elle, tu dormiras avec Bella dans son lit superposé.

— Mais il faut que tu prennes la couchette du dessus ! prévient la fillette. Moi, je l'aime pas, parce que j'ai peur de tomber.

— C'est parfait, j'assure en souriant.

— Tu veux venir voir ? me demande-t-elle en me prenant la main.

Je consulte Noah du regard et il acquiesce.

— Mais faites vite ! Je vous rappelle qu'on a un sapin à décorer !

La chambre de Bella se trouve au deuxième étage. Un panneau est suspendu à la porte :

« INTERDIT AUX ALIENS ! »

— C'est Noah qui me l'a fait, explique-t-elle. Parce que je déteste les extraterrestres.

— Super idée, dis-je en m'efforçant de garder mon sérieux.

J'entre alors dans la plus belle chambre d'enfant du monde... Un des murs est tapissé de personnages de contes de fées, de Blanche Neige au Petit Chaperon rouge.

— C'est mon papa qui l'a peint quand je suis née, explique Bella. Maintenant, il est au paradis.

— Noah m'a dit... Je suis vraiment désolée...

— Et maman aussi. À mon avis, elle s'est transformée en ange.

— C'est certain.

— Ça, c'est mon lit, reprend-elle en désignant la couchette du bas, entourée d'un petit voilage. J'aime bien m'imaginer que je suis dans une tente !

Elle marque un temps et reprend :

— J'adore ta voix. Elle me rappelle celle de la princesse Kate. Je suis fan de la princesse Kate !

Je pose ma valise dans un coin et en sors un pull.

— Oh ! c'est ta poupée ? questionne Bella en remarquant le cadeau de Noah.

— Oui.

— Trop cooooool !

Elle se rue vers son lit et plonge derrière le rideau. Elle émerge presque aussitôt en brandissant une poupée de chiffon.

— Voici Rosie ! annonce-t-elle en l'approchant de la mienne. Elles peuvent être amies ?

— Bien sûr.

J'enfile mon pull.

— Bonjour, lance Bella d'une voix haut perchée, je m'appelle Rosie ! Et toi ?

Elle me jette un coup d'œil interrogateur.

— Euh… Elle n'a pas de nom, je réponds. Tu pourrais lui en trouver un ?

Elle soulève la poupée et la considère, sourcils froncés.

— Je suis… Princesse d'Automne ! déclare-t-elle avec solennité.

Puis elle se penche vers moi et, d'un ton de confidence, explique :

— « Automne », c'est le surnom que t'a donné mon frère. Mais chut, je ne suis pas censée te le dire. Tu l'aimes, Noah ?

— Euh… je… On vient seulement de se rencontrer, alors…

— Lui, je crois qu'il t'aime. Il t'a même écrit une chanson. C'est la première fois qu'il fait ça. Mamy dit qu'il a été touché par Cupidon. Ça veut dire que son cœur a été transpercé par une flèche d'amour. J'ai vérifié sur Google.

Cette fois, je ne peux m'empêcher de rire. Noah m'a donné un surnom ! Il m'a écrit une chanson ! Sadie Lee a dit qu'il avait été touché par Cupidon !!!

Bella s'esclaffe à son tour, et ses anglaises rebondissent autour de son visage.

— Ça rigole bien ici ! fait soudain la voix de Noah.

Nous sursautons… puis ré-éclatons de rire.

— Vous venez décorer le sapin ?

— Oui, oui, oui ! s'exclame Bella en fonçant dans le couloir.

Dès qu'elle a disparu, Noah me jette un regard.

— Vous vous entendez bien, on dirait…

J'acquiesce.

— Je suis tellement content que tu sois là, ajoute-t-il.

— Moi aussi…

Je m'approche, en pensant qu'il va m'embrasser. Mais Bella resurgit à cet instant et nous agrippe chacun la main.

— Plus vite, bande d'escargots !

Noah m'adresse un sourire désolé, et mon cœur est transpercé par une flèche d'amour…

Chapitre 29

Le sapin touche presque le plafond du salon et ses branches aux aiguilles épaisses et brillantes s'épanouissent devant la baie vitrée. Une agréable odeur de pin emplit la pièce. Noah, Bella et moi nous affairons à la décoration. Chaque boule et chaque guirlande a son histoire, que Sadie Lee nous raconte depuis le fauteuil à bascule d'où elle nous observe.

— Ce petit Père Noël, explique-t-elle, c'est ma mère qui l'a acheté l'année de mes seize ans. Ce bonhomme de neige-là appartenait à mon père – Stanley. Le renne vient d'une kermesse de Charlston…

Enfin, tous les accessoires sont en place.

— Presque ! précise Sadie Lee en tendant une boîte à Bella.

— Les sucres d'orge !

En effet, la boîte est pleine de petites cannes rayées rouge et blanc. Il s'en dégage un délicieux parfum de menthe. Nous les accrochons soigneusement aux branches du sapin.

— Miam ! lance Bella qui en avale une.

— Crapule ! réplique Noah avec un sourire taquin.

— Quoi ? Elle a sauté dans ma bouche !

Tout le monde s'esclaffe, et Noah m'offre un sucre d'orge. Le goût me rappelle les bonbons à la menthe qu'on trouve à Brighton.

— On peut installer l'ange ? demande Bella à sa grand-mère.

— Oui, chérie.

Noah ouvre un coffret et, d'un geste soigneux, déballe un petit paquet de crépon rouge. Celui-ci contient un ange aux cheveux blonds ondulés, vêtu d'une robe de soie ivoire ; de son dos émergent deux ailes en gaze dorée. Noah grimpe sur une chaise et place l'objet au sommet du sapin. Bella applaudit.

— Je peux allumer la guirlande lumineuse, mamy ?

— Bien sûr.

Nous patientons pendant qu'elle se faufile derrière les branches. Puis sa petite voix lance un : « Joyeux Noël ! » haut perché tandis que s'éclairent des dizaines de loupiotes.

C'est si beau que j'en ai le souffle coupé.

— Joyeux Noël…, me souffle Noah en passant le bras autour de ma taille.

Je me love contre lui. C'est le meilleur Noël de ma vie…

Ce n'est que dans l'après-midi que je prends conscience que je n'ai pas le moindre cadeau à offrir. Noah n'étant pas adepte de shopping, Sadie Lee m'emmène faire le tour des boutiques du quartier. J'achète une bougie parfumée à la citrouille et des sels de bain pour maman, un livre de recettes américaines pour papa, un album sur les princesses pour Bella et, profitant d'un instant où elle a le dos tourné, des couverts à salade en bois sculpté pour Sadie Lee. J'entre chez un disquaire pour acheter un cadeau pour Noah, mais à peine la porte franchie, je m'aperçois que je ne connais pas ses goûts musicaux.

— Quel genre de musique aime Noah ?

— Ce garçon apprécie *toutes* les musiques ! réplique Sadie Lee, tout sourire. Mais, si tu cherches une valeur sûre, je te conseille d'acheter un vinyle. Il adore les vinyles.

Je file vers le fond de la boutique où sont disposés les bacs et, après avoir passé en revue plusieurs dizaines de disques, j'opte pour l'album d'un certain Big Bill Broonzy parce que son nom me plaît.

— Excellent choix, me félicite le vendeur à la caisse.

— Merci, je réponds, très fière (même si c'est un pur hasard).

— Joli accent… D'où es-tu ?

— De Brighton, en Angleterre.

— Voilà qui illumine ma journée ! s'écrie-t-il en m'attrapant les mains.

J'adore son allure, avec ses dreadlocks grisonnantes et son pendentif argenté en forme de crâne… Après une hésitation, j'ose demander :

— Je pourrais… vous photographier ?

— Bien sûr, jeune fille ! Tu veux que je pose ? demande-t-il en bombant le torse.

— Au naturel, je réplique en prenant mon appareil.

Il s'exécute et je prends la photo.

— Merci.

— Pas d'quoi.

Il me tend une carte de visite.

— Tiens, ajoute-t-il, à ton retour en Angleterre, tu pourras raconter que tu as rencontré Slim Daniels.

Je suis aux anges ! J'ai le sentiment d'être une personne complètement nouvelle. Disparue, la collégienne gaffeuse et naïve – voici la nouvelle Penny qui fait d'« excellents choix » chez un disquaire de Brooklyn et qui prend en photo des « Slim Daniels » ! Rien ne peut briser mon bonheur !

Quand nous rentrons, maman joue à la princesse avec Bella, et Noah et papa découpent des légumes à la cuisine. Je les surprends en plein fou rire. C'est presque trop beau.

— Ce soir, je propose un dîner léger, dit Sadie Lee en enfilant son tablier. Nous devons garder de la place pour le festin de Noël.

— Bonne idée, approuve papa. Tu as besoin d'un coup de main ?

— Oui, pour la salade César.

— Ça tombe à pic, réplique mon père, la César est justement une de mes spécialités ! Penny peut en attester…

— Je confirme. On va se régaler.

— Nous oui, intervient Sadie Lee. Mais, Penny, pas de salade César pour toi, ce soir.

— Exact, renchérit Noah.

Je leur adresse un regard perplexe. Tous, y compris papa, m'observent comme s'ils me faisaient une blague.

— Il faut ménager ton appétit pour demain, avance Noah.

— Le mieux, ajoute mon père, serait que tu jeûnes pendant vingt-quatre heures.

— Quoi ?!

Tous deux éclatent de rire.

— Pas de panique ! réagit Noah. La vraie raison, c'est que je t'emmène pique-niquer. Deuxième édition !

— À ce sujet, intervient sa grand-mère, tout est prêt ?

Il acquiesce et me prend par la main.

— Si vous voulez bien m'accompagner, gente demoiselle, je vous conduirai à votre couverture de pique-nique.

Je glousse.

— Vous êtes trop forts !

Noah me conduit dans l'entrée et nous descendons au sous-sol. Celui-ci ressemble à un vaste salon, à l'ambiance très détendue. Il y a deux canapés moelleux couverts d'un plaid et de coussins, ainsi qu'un énorme écran accroché au mur. Deux lampes à lave colorées diffusent une lueur orangée dans la pièce. Tout au fond, je distingue une table de billard. La couverture à carreaux – la fameuse – est étalée au pied des canapés, agrémentée du plus incroyable des pique-niques.

— C'est magnifique !

— Après le loupé d'hier, j'ai décidé de sortir l'artillerie lourde, plaisante-t-il. D'ailleurs, ton ami Elliot est bien rentré ?

Mince… Voilà qui me fait penser que je n'ai même pas consulté mes messages ! Mais mon téléphone est dans la chambre de Bella… Il faudrait que j'aille le chercher… Et je n'ai aucune envie d'interrompre encore un pique-nique, surtout vu le mal que s'est donné Noah. J'acquiesce donc, sans donner de détails.

— Oui, son avion a bien atterri.

— Super, réplique-t-il. Dis, je me demandais…

— Oui ?

Il lève les yeux vers l'écran et poursuit, l'air gêné :

— Avant la mort de mes parents, on avait un rituel le soir de Noël… J'aimerais le refaire… avec toi.

— Bien sûr. C'est quoi ?

— On regardait en famille *La vie est belle* de Frank Capra.

— Avec plaisir ! C'est un de mes films préférés !

Nous visionnons le film, adossés au canapé, en nous régalant du délicieux pique-nique. J'adore les films en noir et blanc… Comme les photos, je les trouve plus esthétiques, plus dramatiques que ceux en couleur. Noah se rapproche de moi, et nos épaules se touchent. Nous restons ainsi, en contact, jusqu'à la scène où James Stewart crie à son ange gardien qu'il ne veut pas mourir ; il veut revivre et revoir sa femme et ses enfants. Noah s'écarte légèrement. Je me tourne vers lui et, à la lueur de l'écran, remarque une larme sur sa joue.

— Ça va ?

Il s'empresse d'essuyer son visage.

— Oui, tout va bien. Une poussière dans l'œil.

Que dire ? Que faire ? Je comprends d'un coup ce que signifie pour lui ce film.

— Tu… tu penses à tes parents ?

Il reste d'abord placide, puis acquiesce, le regard bas.

— Bravo, mec, marmonne-t-il, rien de plus sexy que de pleurer devant une fille…

Je voudrais le prendre dans mes bras, mais je ne sais pas si c'est le bon moment…

— Ça ne me dérange pas, j'assure en lui caressant le bras.

Il soupire avant d'expliquer :

— Je pensais que je tiendrais le coup… Que ce serait sympa de revoir ce film…

— Parce que c'était la première fois depuis… ?

Il hoche la tête.

Je voudrais tant le réconforter, mais je ne trouve pas les mots. Ce qu'il a vécu est terrible, et tellement extrême…

— C'était une mauvaise idée, conclut-il, la tête toujours baissée.

— Je ne suis pas d'accord. Au contraire, c'était adorable.

— Vraiment ? Pourquoi ?

— Parce que c'est ta façon de te rappeler tes parents – de garder vivant leur souvenir.

Sur l'écran, James Stewart court à présent dans la neige en hurlant : « Joyeux Noël ! » Noah esquisse un sourire triste.

— Cette scène faisait toujours pleurer ma mère. Et papa l'embrassait pour sécher ses larmes.

Instinctivement, je m'approche de lui et pose un baiser sur sa joue humide.

— Ça va aller, je murmure. Ça va aller…

Chapitre 30

— Penny ! Penny !

Je me dresse dans mon lit et me frotte les yeux. Le faisceau d'une lampe torche m'éblouit dans la nuit noire.

— Il est passé ! s'écrie Bella.

La lumière éclaire son visage qui surgit au sommet de l'échelle.

— Qui est passé ?

— Le Père Noël, évidemment !

Je souris et me rallonge.

— Debout ! insiste Bella. Je veux voir ce qu'il nous a apporté !

— J'arrive.

Je passe la main sous mon oreiller pour consulter l'heure sur mon téléphone : 5 h 30 ! Je remarque aussi que j'ai reçu un message et je soupire de soulagement. Hier soir, en montant me coucher, j'ai trouvé trois textos d'Elliot, un sur son vol et deux sur ses parents. Je me sentais coupable d'y avoir répondu si tard, mais s'il s'est manifesté depuis, c'est qu'il ne m'en veut pas. Sauf qu'en cliquant sur le SMS, je constate que le message vient d'Ollie.

Ollie : Joyeux Noël, Penny ! J'espère que tu t'éclates à New York. Hâte de te voir. Bise.

Hein ? Ollie a *hâte* de me voir ?! Je reste stupéfaite, puis je me remémore la séance photo sur la plage... À tous les coups, il veut qu'on refasse des portraits. Je range mon portable sous mon oreiller, blasée.

— Allez la tortue ! appelle Bella, qui a regagné sa couchette.

Elle donne des coups dans mon matelas.

— J'arrive, j'arrive !

Je descends l'échelle et passe la tête derrière le petit rideau. La fillette est assise en tailleur, sa lampe de poche rivée sur deux bas de Noël visiblement bien garnis. Un frisson d'excitation me traverse. À croire qu'on ne se lasse jamais vraiment de cette magie !

— Je pensais ne rien recevoir, cette année, avoue Bella.

— Pourquoi ?

— Parce que j'ai fait une grosse bêtise à l'école, souffle-t-elle, et je croyais que le Père Noël le savait.

— Il sait que c'est difficile, d'être sage en permanence.

— Ah, ça oui ! réplique Bella avec un grand soupir de tragédienne.

Nous vidons nos bas (le mien était rempli de bonbons et de savons avec, en plus, un joli petit ange en verre), et je convaincs Bella de retourner se coucher. Mais une fois sous ma couette, quelque chose m'empêche de dormir. C'est le texto d'Ollie qui m'a déstabilisée… Et je m'inquiète d'être sans réponse d'Elliot. Il est midi en Angleterre… Pourquoi ne m'a-t-il pas encore souhaité Joyeux Noël ? Est-ce qu'il m'en veut d'avoir tardé à lui répondre hier ?

Je repense à ma soirée avec Noah. Il s'est tellement excusé d'avoir pleuré que j'ai dû lui rappeler ma crise de larmes dans sa voiture, à peine une heure après notre rencontre ! « On est à égalité ! » je lui ai dit. Sauf que c'est bien plus que ça… Oser pleurer devant quelqu'un, c'est une preuve de confiance. J'ai beau savoir encore peu de choses sur Noah, étrangement, j'ai le sentiment de le connaître depuis toujours. C'est peut-être ça, qu'on appelle l'« âme sœur » ?

Soudain, l'envie d'écrire une note de blog me démange. À pas de loup, je descends de ma couchette et traverse la chambre pour récupérer mon ordinateur dans ma valise. Bella dort à poings fermés en serrant son nouvel ours en peluche. Je remonte sa couette sur ses épaules, puis je regagne mon lit, ordi en main, et me connecte à mon blog.

25 décembre

Croyez-vous à l'âme sœur ?

Salut tout le monde !
Joyeux Noël !
J'espère que vous passez une belle journée !
Vous avez été nombreux à me demander des précisions sur Brooklyn Boy. Alors voici...
Depuis toujours, je suis fascinée par le concept d'« âme sœur » – c'est-à-dire par le fait qu'il existe forcément, quelque part, une personne qui vous convient parfaitement. Sauf que je n'avais jamais envisagé que je puisse rencontrer la mienne... Vu ma poisse légendaire, je pensais qu'elle devait vivre quelque part dans la forêt amazonienne ou dans un désert, et que nos chemins ne se croiseraient jamais.
Puis, j'ai fait la connaissance de Brooklyn Boy.
Je le connais depuis seulement quelques jours et pourtant, j'ai le sentiment de l'avoir *toujours* connu.

Je ne sais pas qui est son chanteur préféré ni quel est son parfum favori, mais je sais que je peux *tout* lui dire. Et que je peux pleurer devant lui, lui montrer ma part de fragilité sans qu'il me juge.
Lui aussi peut pleurer devant moi et me montrer sa part fragile, je ne le juge pas – au contraire, je ne l'aime que plus fort.
Pour résumer, j'ai la sensation d'avoir trouvé la personne qui me correspond.
Comme Cendrillon et le Prince charmant. Ou comme Barbie et Ken (enfin… vous voyez ce que je veux dire !).
Alors, donnez-moi vos avis… Pensez-vous que Brooklyn Boy soit mon âme sœur ? Et que je n'aurai pas à m'aventurer dans la forêt amazonienne ou dans le désert pour trouver le garçon qui me correspond ?
J'attends vos commentaires !

Je vous embrasse

GIRL ONLINE

PS : Pour ceux qui n'auraient pas compris... Oui, je suis toujours à New York ! On reste jusqu'au Jour de l'An et... on loge chez Brooklyn Boy ! La preuve que les contes de fées peuvent devenir réalité... ☺

Chapitre 31

Mon téléphone bipe quand je commence à m'assoupir. Enfin un message d'Elliot ?

Noah : Alors, le Père Noël est passé ?

Je souris et pianote en réponse :

Penny : Oh que oui ! Bella et moi on était sur le pont à 5 h 30 ! ☺

Noah : Hein ? Vous ne m'avez pas attendu ? RDV à la cuisine !

Preuves que Noah est mon âme sœur :

1. Je peux pleurer devant lui.
2. Il peut pleurer devant moi.
3. Quand je suis avec lui, c'est comme si tout « s'imbriquait » parfaitement.

4. J'ai l'impression qu'on est « assortis » – un peu comme des rideaux, mais en plus romantique !
5. Quand il me dit « RDV à la cuisine ! », je ne pense pas « Au secours ! Je ne suis ni maquillée ni coiffée ! » Je me contente d'enfiler mon survêt léopard et d'aller le rejoindre.

Une odeur appétissante règne dans la cuisine, où Sadie Lee et papa font équipe aux fourneaux. Noah est installé à la grande table en pin, vêtu d'un tee-shirt de base-ball et d'un jogging. Dès qu'il m'aperçoit, il sourit et m'invite à m'asseoir à son côté.

— Joyeux Noël ! dit-il quand je m'installe. Sympa, ta tenue.

— Merci, je me suis dit que le look « léopard des neiges » serait parfait pour Noël.

— Joyeux Noël, Penny ! s'écrient papa et Sadie Lee.

Si nous tournions un film de Noël, cette matinée serait la fameuse séquence, sur fond de *Vive le vent !*, où tout le monde est détendu et heureux. On nous verrait en train de comparer nos cadeaux trouvés dans les bas de Noël ; Noah et moi construisant une « dame bonhomme de neige » dans le jardin pour Bella ; maman et moi aidant Sadie Lee à éplucher un million de légumes... Seule ombre au tableau : je n'ai toujours pas de nouvelles d'Elliot. J'ai tenté de l'appeler plus tôt mais je suis tombée directement sur sa messagerie. Et je lui ai envoyé quatre SMS. À présent, il est quatorze heures à New York, donc dix-neuf heures en Angleterre... Maintenant, c'est certain, il me boycotte.

Pendant que nous dressons la table du dîner, Noah me voit vérifier mon téléphone pour la centième fois.

— Tout va bien ?

— Oui... Je m'étonne juste de ne pas avoir de nouvelles d'Elliot.

— Il profite peut-être de cette journée ?

— Bof... Le mot « profiter » n'est pas très tendance dans sa famille.

Noah pose sur la table une salière et une poivrière en forme de Pères Noël.

— Il va t'écrire, t'en fais pas.

D'un coup, je réalise que je n'ai vu Noah utiliser son téléphone qu'une fois, pour répondre à Sadie Lee.

— Toi, tu n'es pas très « portable »...

— Je fais une cure de désintox pendant les fêtes, explique-t-il.

Je lui retourne un regard interloqué.

— Un sevrage d'Internet et de téléphone, précise-t-il. Tu devrais essayer, ça fait du bien !

Je fronce les sourcils. Malgré ce qui m'est arrivé avec la vidéo, je ne pourrais *jamais* me passer de mon téléphone !

Il reprend, l'air plus grave.

— Moi, il y a des moments où je déteste Internet, pas toi ?

— Pourquoi ?

Il soupire avant d'articuler :

— Parce que...

C'est à cet instant que maman entre dans la salle à manger, un verre de vin à la main.

— Alors, vous avez fini ?

Ses cheveux ondulent sur ses épaules et son visage rayonne. J'aime la voir si détendue.

— Oui, terminé, confirme Noah.

La voix de papa retentit :

— Chaud devant ! lance-t-il en surgissant à son tour, chargé d'une énorme dinde rôtie.

J'éteins mon portable, et nous passons à table.

Le repas de Noël est tellement exquis que nous instituons une règle : chaque fois que quelqu'un dira « Mmmm, c'est délicieux ! », il ou elle glissera un billet dans une boîte. À l'heure du dessert, la cagnotte contient vingt-sept dollars !

— C'est l'heure des cadeaux ! s'exclame Bella.

— Pas sûr que je réussisse à me lever…, plaisante Noah, affaissé sur sa chaise. Je suis re-pu !

— Idem, renchérit papa en adressant un coup d'œil à maman. Chérie, tu vas peut-être devoir me porter…

— Dans tes rêves ! s'esclaffe-t-elle.

Nous parvenons à nous déplacer jusqu'au salon où Bella a entrepris de répartir les cadeaux en piles sous le sapin.

— J'en ai beaucoup plus que toi, m'annonce-t-elle avec sérieux, mais c'est normal : Noël est la fête des enfants. Ils l'ont dit à la télé. Pas vrai, mamy ?

— Tout à fait, trésor.

— Si je reçois quelque chose qui ne me plaît pas, ajoute la fillette en me prenant la main, je te le donnerai, d'accord ?

— Merci, c'est très gentil.

Noah et moi sommes les derniers à échanger nos cadeaux. Je le regarde défaire l'emballage du vinyle, et le doute m'assaille. Et s'il le déteste ? Si Slim Daniels était à côté de la plaque ?

Heureusement, à son large sourire, je vois que le cadeau lui plaît.

— Comment tu as su ? me demande-t-il, les yeux ronds. J'adore tout ce qu'a fait Big Billy Broonzy ! Ça fait un bail que je veux m'acheter cet album.

Il envoie un coup d'œil à Sadie Lee.

— Je ne lui ai rien dit ! assure-t-elle avec un sourire.

Mentalement, j'ajoute un petit 6 à la liste des « preuves que Noah est mon âme sœur » : je sais d'instinct quoi lui acheter pour Noël !

Il me tend à son tour un paquet, enveloppé d'autant de gros scotch que de papier.

— Désolé pour l'emballage…, précise-t-il. Ce n'est pas mon point fort…

Après quelques tâtonnements, c'est avec la pointe d'un tire-bouchon que je parviens à ouvrir le paquet. Il s'y trouve un livre de photos de New York en noir et blanc.

— Comme tu aimes la photo, je me suis dit… Mais si tu préfères des images plus modernes, je peux retourner au magasin et…

— Non, c'est parfait ! Les photos en noir et blanc, c'est ce que je préfère. Je les vois comme des petits bouts d'histoire fixés pour toujours.

Nous nous regardons, et je me sens si proche de lui… Je n'ai qu'un désir : l'embrasser. Si seulement nous étions seuls…

Comme s'il lisait dans mes pensées, Noah se lève et me demande :

— Je vais prendre un verre d'eau à la cuisine, tu en veux ?

Du moins, je crois que ce sont ses paroles… Parce que je suis tellement obsédée par l'envie de l'enlacer que je n'entends presque rien. Je hoche la tête et me lève pour le suivre.

Noah s'arrête près de l'horloge dans l'entrée. Le lourd pendule semble mimer les battements de mon cœur.

— Penny, je…

Il plonge son regard dans le mien.

— Penny…, répète-t-il et il prend mon visage dans ses mains.

Nous nous embrassons. Et mon corps tout entier devient poussière d'étoile.

Chapitre 32

Jusqu'à la fin de la journée, Noah profite de chaque occasion pour me voler un baiser. Quand arrive l'heure de me coucher, je suis ivre de bonheur. J'ai vécu le plus beau Noël de toute ma vie…

Mais toujours aucun message d'Elliot.

Le lendemain matin, un léger « *toc toc* » me tire du sommeil. Je descends l'échelle sans bruit. Bella est allongée sur sa couchette, entourée de Rosie et Princesse d'Automne, ses bouclettes formant une auréole sur son oreiller. Je m'avance discrètement vers la porte.

Noah se tient dans le couloir, un large sourire aux lèvres.

— Salut…, je souffle, intriguée. Il est quelle heure ?

— Bientôt sept heures.

— Du matin ?!

— Bien sûr ! Couvre-toi et prends ton appareil photo. On sort !

En moins de deux, je passe un jean, des bottes et un gros pull, puis je descends le rejoindre. Une odeur de café frais embaume la cuisine.

— Prête ? demande-t-il en rangeant deux Thermos dans son sac.

— Oui… Pour aller où ?

— Ce matin est le seul de l'année où la ville de New York dort pour de bon, m'explique-t-il en me prenant la main. C'est donc le meilleur moment pour te la faire visiter ! Tu pourras prendre des photos originales en toute tranquillité.

Il pose un Post-it sur la table :

On est partis se promener.
On rentre bientôt.
N et P.

— Merci, je dis en souriant.

Il fait un temps magnifique. Les rues sont couvertes d'un épais tapis de neige qui étouffe tous les sons. Noah m'emmène voir son ancienne école, son bar préféré et le magasin où, enfant, il dépensait son argent de poche en bonbons et bandes dessinées. Puis il me conduit dans un parc voisin. Hormis un homme, au loin, promenant son chien, nous sommes seuls, et la neige au sol est immaculée. Noah s'assoit sur une balançoire, le regard distant.

— Mon père disait qu'en me propulsant assez haut, je m'envolerais dans l'espace, murmure-t-il. Et moi, je le croyais ! Imagine un peu l'énergie que j'ai dépensée sur cette balançoire !

Il a un petit rire, puis redevient sérieux.

— Pourquoi est-ce qu'on croit tout ce que disent nos parents ?

Je prends place sur la balançoire d'à côté.

— Parce qu'on les aime ? Parce qu'on a besoin de les croire ? Ma mère me racontait que mes jouets s'animaient la nuit. Du coup, le matin, en me réveillant, je filais dans ma tente pour vérifier leur position, et banco : ils avaient bougé !

— Euh… Ta tente ?

— Oui ! je glousse. Ma mère m'avait construit une tente en couvertures au pied de mon lit. C'était mon endroit préféré. Je m'y sentais… à l'abri. J'ai compris plus tard qu'elle s'y glissait tous les soirs et déplaçait mes jouets histoire de mettre un peu de merveilleux dans ma vie. Je suis heureuse qu'elle m'ait fait croire à cette magie.

— Pas faux, admet Noah. Mais quand ce qu'ils nous disent ne se réalise pas…

— … On doit croire à autre chose.

Il me regarde et sourit.

— Ça me plaît.

Il se contorsionne sur sa balançoire pour me faire face.

— Je crois en *toi*, Penny, déclare-t-il en me fixant droit dans les yeux.

— Moi aussi, je crois en toi.

Nous nous observons un instant, puis Noah fait quelques pas en arrière pour prendre de l'élan.

— Au premier qui s'envole dans l'espace ! lance-t-il.

Ni l'un ni l'autre ne décolle, mais nous nous balançons assez haut pour apercevoir le toit de la maison de Sadie Lee. Nous finissons essoufflés et hilares.

Puis Noah grimpe à une échelle de corde et, le bras levé, s'écrie :

— Je suis le roi de New York !

Il semble si heureux ! Instinctivement, je sors mon appareil photo.

— Il faut immortaliser ce moment ! Tu es trop drôle !

— Drôle ? Ce n'était pas le but…

— C'était quoi, alors ?

— Bah…, fait-il en sautant à terre, j'espérais plutôt paraître énergique… vigoureux… conquérant ?

Il vient se planter juste devant moi.

— Le genre de mec que tu aies envie d'embrasser.

Mon cœur bat la chamade.

— Alors c'est réussi..

— Vraiment ?

— Vraiment.

D'un geste doux, il dégage mes cheveux et se penche pour m'embrasser. L'hiver nous enveloppe. Nous sommes seuls sur Terre.

Ce n'est qu'en fin d'après-midi que je reçois enfin un message d'Elliot.

Elliot : Joyeux Noël. J'espère que tu t'es bien amusée

C'est tout ?! Pas un point d'exclamation, pas une émoticône et pas un « bisou »… ? Plus de doute : il y a un gros problème. Je dois lui parler. Je profite de ce que les autres sont installés devant *Le Magicien d'Oz* pour me réfugier dans la chambre de Bella. Je grimpe sur ma couchette et appelle Elliot. Heureusement, cette fois, il décroche. Je l'interroge sans détour :

— Qu'est-ce qui se passe ?

— Comment ça ?

— Ton texto. Il était glacial.

— Si tu avais passé Noël avec mes parents, tu serais peut-être d'humeur glaciale, toi aussi.

Une lueur d'espoir… Il serait donc en colère contre ses parents ?

— J'attendais de tes nouvelles depuis hier, je fais remarquer.

Il y a un long silence, puis Elliot articule :

— Je ne voulais pas te déranger…

Encore un silence.

— Tu m'as dit que cette histoire n'était qu'un amour de vacances.

Prise de court, je bégaie :

— Il… on… je ne sais pas ce que c'est.

— Pourtant, dans ta note de blog, ça semblait très clair.

— Faux. C'est même pour ça que j'en ai fait un post. Parce que je suis embrouillée.

— Et, dans ce cas, tu préfères te confier à des inconnus qu'à moi ?

— Non ! c'est juste que… tu n'es plus là.

— Comme tu dis.

— Oh, Elliot, s'il te plaît !

— Bref… On discutera de tout ça à ton retour.

— D'accord. À la semaine prochaine, alors.

— OK. À plus.

Je raccroche les larmes aux yeux. Pourquoi, pourquoi, *pourquoi* dès que je vis des choses merveilleuses faut-il que tout se gâte ?! Moi qui ne m'étais jamais disputée avec Elliot, depuis peu j'ai le sentiment de le perdre… Et je ne sais même pas pourquoi ! Alors, une pensée terrible surgit… Et s'il me rejette à mon retour ? Ce serait pire que tout… Noah à des milliers de kilomètres… Plus de meilleur ami… Je serais seule !

Je serre mon oreiller et de grosses larmes coulent sur mes joues.

— Ne sois pas triste…, souffle alors une petite voix.

Je me redresse et aperçois la tête de Princesse d'Automne au sommet de l'échelle. Bella surgit à son tour et grimpe sur mon lit.

— Quand on se sent triste, il faut penser à trois choses heureuses, annonce-t-elle en asseyant la poupée à son côté. C'est Noah qui me l'a dit. Alors vas-y ! Dis-moi tes trois pensées heureuses.

— Toi, je réplique sans hésiter. Tu me rends très heureuse.

Un grand sourire éclaire son visage.

— Ensuite ?

— Être ici, dans cette maison.

Elle acquiesce.

— Et ?

— Noah…, je murmure en rougissant.

— Toi aussi, tu le rends heureux. Avant de te rencontrer, il était de mauvaise humeur. Mais depuis qu'il te connaît, il est redevenu joyeux.

J'aimerais lui demander la cause de cette mauvaise humeur, mais je ne veux pas paraître trop curieuse.

— Et moi aussi, tu me rends heureuse, ajoute Bella. Et aussi Princesse d'Automne, pas vrai ?

Elle soulève la poupée et lui fait répondre, de sa voix haut perchée : « Oh oui ! Penny me rend très heureuse. Même si elle ne m'a pas donné de nom ! »

J'éclate de rire.

Tout va bien. Elliot et moi, on réglera notre malentendu à mon retour. Pour le moment, je veux profiter à fond de Noah. Et de Bella. Et de Princesse d'Automne.

31 décembre

Peu importe le lieu, seules comptent les personnes

Un été, avec ma famille, on a fait escale dans une ville appelée « Bidon ». À part son nom comique, l'endroit n'avait rien d'exceptionnel. Il n'y avait que des maisons sans charme, un bistrot (fermé) et une station essence. Ce jour-là, mon père m'a dit : « Peu importe le lieu, seules comptent les personnes. » En d'autres mots : on peut vivre des choses merveilleuses n'importe où, tout dépend des participants. En effet, on a vécu à Bidon des moments géniaux, comme un cache-cache géant dans une forêt voisine et un goûter improvisé chez une vieille dame croisée dans la rue.

Il en va de même pour New York : cette ville est en soi hors du commun, mais c'est de la découvrir avec

Brooklyn Boy qui l'a rendue vraiment merveilleuse. Le comble étant que je n'ai pas vu une seule attraction touristique ! Brooklyn Boy a préféré m'emmener dans ses endroits préférés, comme une plage du New Jersey (complètement déserte vu le temps... c'était magique !). On a écrit nos noms dans le sable et siroté nos Thermos de chocolat chaud. J'ai pu prendre des photos magnifiques. Surtout, j'ai survécu à l'aller ET au retour en voiture sans la moindre crise d'angoisse !

On a aussi visité une galerie d'art où se tenait une super expo photo. Le thème, c'était l'espoir. Mon image préférée montrait une petite fille, le visage collé contre la vitrine d'un magasin de jouets. Mais ce qui a fait toute la différence, c'était d'être accompagnée de Brooklyn Boy. Comme il est ami avec le galeriste, on a pu faire la visite de nuit, quand le lieu était fermé au grand public – une expérience formidable (et même doublement formidable parce qu'elle m'a épargné de m'humilier en trébuchant sur une corde traînant au sol. C'était en réalité une œuvre d'art baptisée *Serpent*... et qui aurait mieux fait de s'appeler : *Obstacle ! Danger !*).

Et vous ? Que pensez-vous du proverbe de mon père ?

Vous avez déjà vécu des expériences similaires ?

Je vous souhaite un super réveillon du Nouvel An – avec des super personnes !

GIRL ONLINE

Chapitre 33

Les Dieux du temps ne sont pas toujours nos alliés… Les heures passent *très* lentement quand on vit quelque chose de désagréable – un contrôle de maths, un rendez-vous chez le dentiste, une humiliation publique à la fin d'un spectacle… – et filent dès qu'il nous arrive un truc chouette comme tomber amoureuse d'un garçon.

Ce matin, c'est le 31 décembre. Nous rentrons demain en Angleterre, et je vais devoir quitter le garçon que j'aime. En une semaine, le nombre de preuves que Noah est mon âme sœur n'a fait que se multiplier. Je ne les ai pas ajoutées sur mon blog, de peur de contrarier encore Elliot, mais j'ai toute la liste en tête :

– on est tous les deux fans de thrillers ;

– il m'emmène dans des endroits géniaux que je n'aurais jamais connus sans lui ;

– je sais exactement où je l'emmènerais s'il venait à Brighton ;

– il aime mes photos et dit que je devrais exposer ;
– avec ce genre de propos, il me donne de l'assurance et de la force ;
– lui aussi déteste les selfies ;
– … et adore le beurre de cacahouète.

Pourtant, je vais devoir rentrer à Brighton. Je vais retrouver mes pseudo-amis, tous plus superficiels les uns que les autres, et mon soi-disant-meilleur-ami-qui-ne-m'adresse-plus-la-parole. Je fixe le plafond de la chambre de Bella, et me sens vide… Tellement vide…

Au bout d'un moment, je décide de me secouer. Pour me changer les idées, je descends au rez-de-chaussée. De la cuisine parvient la voix de Sadie Lee :

— Je pense que tu devrais lui dire…

— Non ! réplique Noah.

À son ton ferme, je me fige. Mais un bruit de pas dans mon dos me fait sursauter.

— Coucou, chérie !

Je fais volte-face et aperçois papa, en haut de l'escalier. Il y a un remue-ménage de chaises dans la cuisine et Noah surgit dans l'entrée.

— Ah, salut, Penny. Bonjour, Rob. Des crêpes, ça vous dit ?

— Un peu mon n'veu ! réplique mon père en dévalant les marches.

Je me force à sourire, mais les paroles que j'ai entendues m'ont mise mal à l'aise. De quoi parlaient Noah et sa grand-mère ? Est-ce que c'est à moi que Sadie Lee lui conseillait de parler ? Que peut-il bien me cacher ?

Ces questions tournent toute la journée dans ma tête. Lorsque arrive l'heure fatidique de faire ma valise, je me suis passé et repassé en mémoire les moindres instants vécus avec Noah, à la recherche d'un indice. Force est de constater qu'en une semaine, pas un ami n'est venu lui rendre visite… Il n'a d'ailleurs ni pris ni eu de nouvelles de personne… Il faut dire qu'il est en pleine désintoxication de portable – ceci explique peut-être cela. Il y a aussi l'histoire de l'année de césure. Je n'ai toujours pas vraiment compris ce qu'il faisait de son temps… Il a évoqué un boulot à mi-temps dans une boutique du centre-ville, mais seulement au passé.

Je soupire. Me revoilà assaillie par des pensées négatives… Je m'efforce de changer de point de vue : Noah m'a emmenée à la galerie d'art, et il m'a présentée à ses amis sur place. C'est bien la preuve qu'il n'a rien à me cacher ! Sadie Lee parlait peut-être de quelqu'un d'autre… Quoi qu'il en soit, je n'ai plus que quelques heures devant moi, autant ne pas les gâcher.

En fin d'après-midi, nous jouons tous ensemble au Monopoly américain – sauf Bella qui s'installe sous la table pour s'amuser avec sa poupée.

— Alors, Pen, contente de voir Times Square ce soir ? me demande mon père en distribuant à chacun ses billets multicolores.

Papa adore être la banque au Monopoly, surtout qu'il gagne à tous les coups… Les deux sont peut-être liés…

— Oui, j'ai hâte, dis-je avec un sourire.

Mais c'est un mensonge. Certes, vivre les douze coups de minuit à Times Square est une chance incroyable… mais à minuit et une minute, on basculera dans l'année où je devrai quitter Noah. Les larmes me montent aux yeux… Pour les retenir, je me concentre sur les différences entre les Monopoly américain et anglais. Mais comment se passionner pour des noms de rues quand on a le vague à l'âme ?

Noah me prend la main sous la table.

— Tout va bien ? me souffle-t-il.

J'acquiesce.

— Je vous vois ! s'élève, de sous la nappe, la voix fluette de Bella.

Nous pouffons.

— Mam', dit Noah en se tournant vers Sadie Lee, si tu les accompagnais à Times Square ? Tu as bien mérité une petite sortie… Je resterai ici pour garder Bella.

La nappe s'agite

— Eh ! Je n'ai pas besoin d'être gardée ! Je ne suis pas un bébé !

— Pardon, frangine… Je voulais dire : pour *passer la soirée en compagnie de ma chère petite sœur* ?

Je suis stupéfaite.

— Et Penny, alors ? questionne justement Sadie Lee.

— Elle voudra peut-être rester avec nous ? réplique Noah en m'adressant un coup d'œil plein d'espoir.

J'ai envie de sauter de joie et de reconnaissance ! Je préfère *mille fois* rester à la maison avec Noah que jouer des coudes dans la cohue new-yorkaise !

— Elle doit avoir envie de fêter la nouvelle année à Times Square ! proteste Sadie Lee en me consultant du regard.

— Pas tant que ça. À choisir, j'aime autant rester ici.

— C'est la foule qui te fait peur ? demande ma mère, soucieuse.

— Euh… oui, c'est ça…

— Nous devrions peut-être tous passer la soirée ici, décide alors mon père. Surtout que nous devons nous lever tôt demain pour prendre l'avion.

— Non ! je m'écrie. Ne laissez pas tomber pour moi ! Surtout que je serai vraiment ravie de garder Bella !

— Qu'est-ce que j'ai dit ! s'agace cette dernière, émergeant de sous la table, les mains sur les hanches.

Je ris et l'attire sur mes genoux.

— Je sais, tu n'es pas un bébé… Désolée.

Elle se blottit contre moi, et je l'entoure de mes bras.

— Tu vas me manquer, Penny, chuchote-t-elle.

— Toi aussi…

Papa hoche la tête.

— Si tu es sûre de toi, conclut-il.

Je le regarde en souriant.

— Certaine.

Je n'ai même jamais été aussi certaine de ma vie.

Une fois mes parents, Sadie Lee et Betty (une amie de Sadie Lee) partis, Noah demande à Bella ce qu'elle a envie de faire. La fillette réfléchit quelques secondes avant de répondre.

— On pourrait jouer aux princesses ?

Noah éclate de rire.

— Je serais qui, moi ? Princesse Noah ?

— Mais non, idiot ! Toi tu es le prince rockeur !

J'approuve d'un clin d'œil.

— Mouais..., fait Noah.

— Penny, c'est Princesse d'Automne, et moi je suis Princesse Bella III.

— Que sont devenues les deux premières Bella ?

— Dévorées par des aliens.

Je me mords la lèvre pour ne pas éclater de rire.

— Va chercher ta guitare ! poursuit-elle. Toi, Penny, tu dois t'habiller en princesse.

— Désolée, Bella, mais je n'ai pas de costume...

— Et pourquoi pas ta tenue du soir du mariage ? suggère Noah.

Je monte dans la chambre de mes parents et trouve la robe dans la valise de maman. Je l'enfile mais décide de rester pieds nus et les cheveux lâchés.

Quand je reviens au salon, Noah est installé sur l'accoudoir du canapé, une guitare noire entre les mains. Il me sourit et commente :

— Toujours aussi belle...

— Merci, monsieur le Prince Rockeur.

— Je vous en prie, chère Princesse d'Automne.

Bella, vêtue d'une robe de princesse en satin mauve, bat des mains en me voyant.

— On va trop s'amuser ! Noah, joue-lui ta chanson !

— Quelle chanson ?

— Tu sais bien ! Celle que tu lui as composée...

Noah rougit.

— Impossible, elle n'est pas terminée… La chanson de *La Reine des Neiges*, c'est aussi bien, non ?

Il m'envoie un clin d'œil et précise :

— Bella a vu *La Reine des Neiges* un milliard de fois *minimum*…

— Oui ! s'écrie cette dernière. Chante *Libérée, délivrée* !

Noah joue quelques accords, puis se met à fredonner.

— J'adore cette chanson ! lance Bella en tournoyant avec son ours en peluche.

Moi aussi, je suis sous le charme… La voix de Noah est si belle, si douce, un rien enrouée… Le genre de timbre qui attire tout de suite l'attention. Surtout, il me fixe en chantant, et je me demande si les paroles qu'il prononce me sont destinées. Un frisson me traverse.

— Danse avec moi, Penny ! s'exclame Bella en me tirant par le bras.

Nous tournons vite, plus vite. Comme si la voix de Noah nous portait et nous rendait fortes, invincibles, libres. Je suis folle d'amour pour lui.

Chapitre 34

Au bout de deux heures de chant, de danse, de princesses et de Prince Rockeur, Bella est épuisée.

— J'en connais une qui ne va pas tarder à rejoindre le pays des rêves…, fait remarquer Noah, en posant sa guitare.

— Non ! proteste sa sœur, affalée sur mes genoux.

— Si Penny te lisait une histoire pendant que je range le salon ?

— D'accord !

Noah sourit.

— Prenez votre temps, me conseille-t-il. J'ai deux trois trucs à faire.

Une fois Bella confortablement installée dans son lit, je place Princesse d'Automne sur son oreiller. Elle me souffle d'une voix ensommeillée :

— Je suis triste que tu doives partir…

— Moi aussi, dis-je en lui caressant les cheveux. Mais tu sais ce qui me ferait plaisir ? Que tu gardes Princesse d'Automne.

— Pour de vrai ?

— Oui. Elle sera plus heureuse ici qu'à Brighton.

— Et puis à chaque fois que je jouerai avec Princesse d'Automne, je penserai à toi.

— Exactement

Je la borde et invente une histoire où le prince William et la princesse Kate sauvent la reine d'une invasion d'extraterrestres. Bella finit par s'endormir. Je l'embrasse sur le front. Au moment où je quitte la chambre, Noah apparaît à la porte.

— Bravo, souffle-t-il en voyant sa sœur assoupie. Je venais lui faire un dernier bisou. Je te rejoins au sous-sol.

J'éprouve une étrange sensation de peur mêlée d'excitation. Noah et moi allons enfin être seuls !

Depuis le petit escalier menant au sous-sol, j'aperçois des loupiotes dorées. D'abord, je songe à la guirlande d'un sapin mais, en m'approchant, je vois que la lumière provient de la table de billard… et que celle-ci est couverte d'un grand drap.

Derrière moi me parviennent les pas de Noah.

— Je t'ai construit une tente, explique-t-il. Pour te rappeler ton endroit préféré quand tu étais petite, l'endroit où tu te sentais bien…

Mes yeux se remplissent de larmes.

— C'était une mauvaise idée ? s'inquiète-t-il. Je ne voulais pas te faire pleurer… C'était stupide, pardon. Je…

— Non, je hoquète. C'est la chose la plus gentille qu'on ait faite pour moi…

— Vraiment ?

— Oui, je promets. Merci… Merci de t'en être souvenu.

— Aucune raison de me remercier, c'est normal.

Il m'attrape la main et ajoute :

— Viens voir à l'intérieur…

Je glousse en le suivant sous la tente. À l'entrée, il a accroché une petite affiche :

CECI EST LA TENTE DE PENNY.
DÉFENSE D'ENTRER.
(… Sauf si tu t'appelles Noah)

Il soulève le drap et me fait signe de m'avancer. Je m'exécute, à quatre pattes. Le sol est couvert de coussins multicolores, et l'intérieur est décoré de guirlandes scintillantes. Dans un coin, il y a une bûchette de Noël faite par Sadie Lee. Dans un autre, une cruche de limonade maison, et deux verres à pied.

— C'est merveilleux…

— Vraiment, ça te plaît ?

— Oui ! Et cette tente est encore plus belle que celle de mon enfance… Il n'y avait ni guirlande, ni…

Je m'interromps en pleine phrase.

— Ni quoi ?

Nos visages sont si proches que je sens sa respiration.

— … Ni Prince charmant, je complète en baissant les yeux.

— Penny ?

Je relève la tête.

— Oui ?

— Je t'aime beaucoup, tu sais.

— Moi aussi, je t'aime beaucoup.

— Je veux dire… *vraiment* beaucoup. Tellement que ce pourrait bien être…

Je retiens mon souffle en attendant qu'il prononce les mots fatidiques :

— … de l'amour.

— Moi aussi, je t'aime tellement que ce pourrait bien être de l'amour.

Il a un petit rire :

— Même dans les films, les dialogues ne sont pas aussi fluides !

Puis il m'attire vers lui et murmure :

— Je suis si triste que tu t'en ailles…

Je pose la tête sur son épaule.

— Moi aussi… Mais ça ne signifie pas que tout soit fini entre nous…

Il y a un silence. Je lève les yeux et le regarde. Une mèche lui masque le visage. Je me retiens d'y passer les doigts.

— J'irai te voir en Angleterre, et toi, tu pourras revenir. Entretemps, on skypera et j'arrêterai mon sevrage du web – mais c'est bien parce que c'est toi !

— Quel honneur !

Il sourit puis m'embrasse – de petits baisers légers dans le creux de mon cou, puis sur mon visage, mes paupières, le bout de mon nez, jusqu'à ce qu'enfin il trouve mes lèvres. Et ce baiser est d'une telle intensité !

Bip ! Bip ! Bip !

Je sursaute.

— Qu'est-ce que… ?

— Désolé, dit-il, c'est ma montre. Je l'avais programmée sur minuit pour qu'on ne loupe pas le passage à la nouvelle année.

Il me serre contre lui.

— Bonne année, Penny.

— Bonne année, Noah, je réponds.

Il m'invite à m'allonger sur le tapis de coussins. Blottie contre lui, j'implore le Dieu du Temps d'être mon allié pour une fois, et de tout figer pour que nos baisers durent toujours.

Chapitre 35

Je DÉTESTE les Dieux du Temps. Je les déteste encore plus que les pestes de mon collège, et encore plus que les cornichons.

En tout et pour tout, Noah et moi n'avons eu qu'UNE HEURE en tête à tête avant le retour de Sadie Lee et de mes parents – une heure qui a filé comme un éclair. Pour me consoler, je repense à ces minutes magiques que nous avons vécues, et ma peau picote là où Noah l'a touchée. Alors je revis la magie de notre soirée.

C'est ce souvenir qui m'occupe, le lendemain matin, en attendant maman et papa dans le hall d'entrée. Assise sur ma valise, les paupières fermées, je repense aux caresses de Noah dans mes cheveux et sur mon dos.

— Perdue dans tes pensées ?

J'ouvre les yeux. Adossé dans l'embrasure de la porte, Noah m'observe.

— Je repensais à… la tente, je confesse en rougissant.

— Moi aussi. Non-stop.

Il s'approche et me prend les mains.

— Va t'y cacher… Je raconterai à tes parents que tu as été enlevée par des extraterrestres et qu'il faut rentrer en Angleterre sans toi.

— Si seulement…, je réponds avec un sourire triste.

Il m'entoure de son bras. Je suis si heureuse auprès de lui… La vie est injuste.

— Tout ira bien…, promet-il à voix basse. Tout ira bien…

J'acquiesce sans conviction… Comment « tout pourrait-il aller » quand nous vivons si loin l'un de l'autre ?

En route pour l'aéroport, une boule de chagrin grandit en moi comme une tumeur. Papa et maman voyagent à bord de la voiture de Sadie Lee avec Bella, et Noah et moi dans son 4 × 4. Mais cette fois, il n'a pas besoin de commenter ses manœuvres sur la route : mon chagrin est si fort qu'il neutralise la moindre angoisse.

Une fois au parking, Noah éteint le moteur et se tourne vers moi.

— Penny… Les adieux, ce n'est pas mon fort, alors je préférerais te dire au revoir ici. Pour profiter d'être encore juste tous les deux.

Je hoche la tête malgré une pointe de déception.

Noah sort un CD vierge de la poche de son blouson.

— Un petit cadeau… fait maison.

— C'est la chanson dont parlait Bella ?

— Oui. Je l'ai enregistrée sur mon ordi, du coup la qualité n'est pas top, mais je voulais te la donner avant ton départ. Pour que tu saches ce que je ressens.

— On peut l'écouter maintenant ? je demande en regardant l'autoradio.

— Je préfère que tu attendes d'être chez toi. Ce sera comme un petit message de ma part à ton arrivée.

Mon chagrin s'estompe un peu.

— Merci, dis-je en lui prenant la main. Mais je suis gênée, je n'ai rien pour toi…

— Tu m'as donné beaucoup. Tu n'imagines même pas. Pour tout te dire, avant notre rencontre, ma vie devenait un peu…

Il est interrompu par un grondement de moteur. La voiture de Sadie Lee stationne à côté du 4 × 4.

Noah prend mon visage dans ses mains et me regarde droit dans les yeux.

— Penny, je t'aime tellement que ce pourrait bien être de l'amour.

— Moi aussi…

Mon cœur s'emplit d'espoir. On surmonte tout grâce à l'amour ! Y compris l'océan Atlantique !

Sadie Lee vient d'ouvrir sa portière. Il ne reste plus beaucoup de temps… Noah m'embrasse avec ardeur.

— Je vous avais bien dit qu'ils s'aimaient ! lance Bella d'une voix forte.

Pendant tout le vol, je me cramponne à cette dernière conversation comme à un radeau. Dès que pointent l'anxiété ou l'amertume, je repense à ce que j'ai vécu pendant ce séjour à New York… Je rentre transformée. Je n'ai plus besoin d'un alter ego pour m'affirmer… À présent, je peux me contenter d'être moi-même. À chaque zone de turbulence, je focalise mon attention sur ce que j'ai accompli en quelques jours :

– j'ai appris à maîtriser mes crises d'angoisse ;
– j'ai été choisie comme photographe à un mariage de premier plan ;
– j'ai acheté un vinyle chez un super disquaire de Brooklyn ;
– j'ai passé mon premier Noël à l'américaine ;
– je suis tombée amoureuse.

Je suis tombée amoureuse !

Malgré le petit avion qui se déplace sur l'écran, et qui creuse à chaque seconde la distance entre Noah et moi, je parviens à me répéter que « tout va bien ». Car j'en suis persuadée, notre relation résistera.

Cinq heures plus tard, l'avion se pose. À mon soulagement d'avoir survécu à ce double vol s'ajoute une nouvelle assurance, née de mon amour pour Noah. Je suis décidée à aller de l'avant : je vais régler mon malentendu avec Elliot et faire des économies pour me payer un billet pour New York au plus vite. L'affaire de la vidéo est de l'histoire ancienne, et Megan et Ollie sont les cadets de mes soucis. Je me suis délestée de mon ancienne vie comme d'une mue. Je l'imagine à la dérive en plein océan.

Nous arrivons chez nous peu après minuit. Tout semble différent. La maison est glaciale et les décorations de Noël paraissent fanées.

Je file dans ma chambre, avec un objectif impérieux : écouter le CD de Noah. Mais je n'ai pas le temps de m'asseoir que des coups résonnent contre le mur. Elliot ! Je retiens mon souffle et tends l'oreille. Deux coups, puis deux encore, puis sept : « Tu me manques. » Soulagement !

Depuis Noël, nous n'avons pas échangé le moindre SMS. C'était la première fois que je restais aussi longtemps sans nouvelles d'Elliot. Je n'ai pas le temps de répondre qu'il refrappe : « Je peux venir te voir ? »

« Oui, je t'attends. »

J'écouterai le CD plus tard. La priorité, c'est de m'expliquer avec Elliot. D'ailleurs, j'entends claquer la porte de chez lui, puis retentir notre sonnette et la voix de papa qui lui ouvre. À présent, des pas retentissent dans l'escalier ; je les compte, par réflexe, jusqu'à ce que ma porte s'ouvre. Une, deux, trois, quatre…

— Penny ! s'écrie Elliot en se ruant dans ma chambre. Pardon ! Tu m'as tellement manqué. Tu… tu es fâchée ?

Je souris.

— Pas du tout.

— Oh, merci !

Il s'installe près de moi, sur le lit, et reprend :

— Je m'en veux d'avoir été si pénible… Mais tu n'imagines pas la pression ! C'était le Noël de l'enfer… Devine le cadeau que m'ont fait mes parents…

Je hausse les épaules.

— Un abonnement pour la prochaine saison de rugby ! s'exclame-t-il, outré. Alors qu'ils savent très bien que je déteste ce sport ! Et pour couronner le tout, on a mangé de la fondue… le soir de Noël ! L'hallu !

— Mon pauvre…

— Je sais. Ce sont des cas désespérés.

Il soupire avant de reprendre, avec un petit sourire :

— Raconte, toi, plutôt.

— Raconter quoi ?

— Ton Prince charmant !

— Tu veux vraiment ?

— Oui, assure-t-il.

Je lui fais donc le récit de ma semaine avec Noah, en passant sous silence les moments trop romantiques pour ne pas attiser sa jalousie. À la fin, je lui jette un regard inquiet, mais son expression est indéchiffrable.

— Et comment tu gères de ne plus pouvoir le voir ? demande-t-il.

— On va trouver des solutions.

— Des solutions ? répète-t-il, sceptique. Je te rappelle qu'il vit à New York et toi à Brighton…

— Je suis au courant, merci. Mais ça n'empêche pas de se voir pendant les vacances.

Il acquiesce mais je vois dans son regard qu'il n'est pas convaincu. Une première brèche dans ma toute fraîche assurance…

— Tu as une photo de lui ?

Je sors mon téléphone et lui montre celle que j'ai prise au parc.

— C'était le lendemain de Noël… On est allés se balader dans son quartier.

Elliot scrute l'image et je guette un signe d'approbation. J'aimerais tant qu'il apprécie Noah, qu'il m'apporte son soutien…

— Il a un air familier…, dit-il enfin. Peut-être ces pommettes hautes ? ça lui donne un air de Johnny Depp…

Il me rend le portable et enchaîne :

— Ça te dirait, un tour en ville, demain ? Je rêve d'acheter une chemise à carreaux pour aller avec mon chapeau de cow-boy.

Je reste muette. Notre discussion au sujet de Noah n'a duré que quelques minutes. Elliot est déjà passé à autre chose. À présent, il m'explique comment il compte « américaniser » son style, et moi je suis de plus en plus déçue. Il devrait se réjouir que sa meilleure amie ait rencontré quelqu'un ! Je ne comprends pas ce qui l'embête tant ! Surtout maintenant que je suis rentrée, et que des milliers de kilomètres me séparent de Noah !

Des milliers de kilomètres me séparent de Noah…

À cette seule pensée, je me sens glisser dans un trou de tristesse… C'est alors que mon téléphone bipe. Je consulte le SMS pendant qu'Elliot continue de monologuer.

Noah : J'espère que tu es arrivée à bon port… mais je préférerais encore que tu sois toujours ici. Tu me manques, mon Événement Perturbateur…

Je souris.

— Tu veux que je te laisse ? demande Elliot en lançant un regard à mon portable.

— Hein ? fais-je, focalisée sur la réponse que je commence déjà à taper.

— Tu préfères rester seule ?

— Eh bien… j'avoue que le voyage m'a lessivée..

Il se lève d'un bond.

— À demain, alors.

— Ouais.

Dès qu'il a quitté la pièce, j'envoie mon texto.

Penny : Oui, bien arrivée. Mais toi aussi, tu me manques et j'aimerais être dans tes bras. Je m'apprête à écouter ton CD.

J'allume la bougie à l'orange et à la cannelle offerte par Sadie Lee, ainsi que la guirlande de loupiotes qui encadre ma coiffeuse. Nouveau « bip ».

Noah : Gloups... J'espère que tu aimeras !

Je sors le CD de ma valise. D'un coup, je suis prise de paranoïa. Et si j'étais à côté de la plaque ? Je m'attends à entendre des paroles romantiques, mais je me trompe peut-être… C'est peut-être une chanson satirique, qui tourne en dérision ma passion pour le beurre de cacahouète !

Je glisse le disque dans ma chaîne et appuie sur « lecture ».

Dès le premier accord de guitare, très doux, je comprends que j'ai eu tort de m'inquiéter. Je m'assieds confortablement sur mon lit, adossée au mur, et mes yeux tombent sur un papier plié en quatre à l'intérieur du coffret. Je le déplie et découvre les paroles écrites de la main de Noah. Je les lis en même temps que sa voix résonne dans les enceintes.

FILLE D'AUTOMNE

Fille d'Automne
Tu m'as transformé
Et as fait de mon hiver
Une saison dorée

J'étais perdu
Tu m'as aidé à me retrouver
Ton sourire si doux
M'a rendu le goût d'espérer

Fille d'Automne
Tu m'as transformé
Et as fait de mon hiver
Une saison dorée

À présent, tu es partie…
Tu es loin de moi
Je ferme les yeux
Et alors, je vois
Ta chevelure d'aurore
Ta peau irisée
Ces bras dans lesquels
Je voudrais me lover

Fille d'Automne
Tu m'as transformé
Tu m'as transformé
Tu m'as transformé

À la dernière strophe, mon corps vibre avec la mélodie. Noah a écrit ces paroles pour moi ! Je saisis mon téléphone et pianote sans attendre :

Penny : Je l'adore ! Merci ! ☺ Plein de bisous.

La réponse arrive aussitôt :

Noah : Pour de vrai ? Tu aimes ?

Penny : Oui !!!! C'est de la beauté à l'état pur !

Noah : C'est toi, la beauté à l'état pur.

Je m'apprête à répondre quand il m'envoie un nouveau texto.

Noah : Tu es le plus bel événement perturbateur de toute l'histoire des événements perturbateurs.

Penny : Tout pareil. Encore des bisous.

Cette nuit-là, je m'endors au son de la voix de Noah et je rêve que nous sommes sous la tente, enlacés. Et, pour la première fois depuis bien longtemps, ma nuit est sans cauchemars.

2 janvier

BONNE ANNÉE !

Salut tout le monde !
J'espère que vous avez passé un super Noël !
Je suis de retour en Angleterre, et pour inaugurer la nouvelle année, je vous propose une note sur les bonnes résolutions.
Dans l'avion, j'ai lu un article qui conseillait de choisir trois résolutions seulement – ça augmenterait nos chances de les tenir vraiment.
Eh bien, je suis 100 % d'accord !
Avant, je multipliais les bonnes résolutions. Je m'en notais des pages et des pages, tout ça pour constater en février que je n'en avais pas encore réalisé une seule, du coup je laissais tomber.
Donc, cette année, je ne vais choisir que trois résolutions. Faites-en autant et partagez-les ci-dessous. Comme ça, on suivra nos progrès respectifs !

Je me lance : cette année, mes résolutions sont :

1. Être heureuse
2. Affronter mes peurs
3. Croire en moi

Vous savez ce dont je me rends compte ?
Que grâce à ma rencontre avec Brooklyn Boy, je suis déjà en train de réaliser ces résolutions. Si vous saviez comme il me manque... D'ailleurs, merci de votre soutien. Merci à vous tous qui m'avez dit que notre relation allait durer. D'ailleurs, si je peux me permettre d'ajouter une quatrième mini résolution, ce serait celle-ci : que notre histoire dure.
À tous ceux qui m'ont demandé de poster une photo de Brooklyn Boy : je ne peux pas. J'espère que vous me comprendrez... L'identité des personnes dont je parle ici doit rester privée. Désolée...
Bonne année à vous tous – j'ai hâte de découvrir vos résolutions !

Girl Online

Chapitre 36

Une fois ma note publiée, je me prépare pour ma sortie avec Elliot. Il est bientôt midi, et mes parents sont partis faire des courses pour remplir notre frigo vide. Tom est dans sa chambre, concentré sur un devoir pour la fac. Bref, la vie ressemble à ce qu'elle était avant New York, à un détail près : moi. De l'extérieur, je suis la même ; c'est mon *regard* sur moi qui s'est transformé. C'est un peu comme dans les thrillers, quand on découvre à la fin que le gentil était en réalité le méchant. Dans mon cas, j'ai appris que je n'étais ni ridicule ni moche, et que les détails que je détestais dans mon apparence étaient en réalité ceux qui ont plu à Noah. Plus besoin de cacher mes taches de rousseur sous quinze couches de fond de teint… Plus besoin non plus d'attacher mes cheveux pour masquer leur couleur…

Je regarde la photo de Noah scotchée à mon miroir. Je l'ai imprimée ce matin, au réveil, pour pouvoir la contempler quand je veux.

— Merci…, je lui souffle en me coiffant.
Bip bip !
Je saisis mon téléphone et mon cœur se serre. C'est un texto de Megan.

Megan : Salut Penny ! Tu es rentrée ? On se voit ? Bisous

Je fixe l'écran. Ma transformation intérieure peut s'exprimer, là, tout de suite. Je clique sur « Répondre » :

Penny : Non merci.

Mon cœur bat à cent à l'heure. La réponse ne tarde pas à arriver :

Megan : Pardon ???!!!

Je prends une inspiration.

Penny : Je n'ai pas envie de te voir parce que je n'ai rien à te dire.

J'attends sa réplique. Je l'imagine, avec sa bouche en cul de poule, rejetant ses cheveux en arrière. Elle me paraît tellement ridicule, maintenant ! Tellement gamine… Traverser la moitié du globe m'a aidée à voir la réalité.
Bip bip !

Megan : Hein ??!! Après tout ce que j'ai fait pour toi ?!!

Je reste stupéfaite quelques secondes, puis je réponds… sans plus aucune appréhension :

Penny : Tu parles de la vidéo que tu as publiée sur Facebook ? Ou de toutes les fois où tu m'as rabaissée ? À partir de maintenant, je me passe de ce genre d'amitié. Inutile de me recontacter.

J'ai beau trembler de rage quand j'appuie sur « Envoyer », je ressens une réelle fierté. Je viens d'accomplir mes trois résolutions d'un coup !

Voilà qui me fait penser à ma dernière note de blog… Je me connecte et constate que j'ai déjà reçu des commentaires.

Salut, Girl Online !
Bonne année à toi aussi !
Mes trois résolutions sont :
1. Être fière de mon physique
2. Lire plus
3. Manger plus sainement
Bisous

AMBER

Je réponds sans attendre :

Merci, Amber. Bon courage (surtout pour ta résolution n° 3 !)
Bises

Mes yeux passent au commentaire suivant, et mon sang se glace.

Pour ma part, une seule résolution, cette année. Ne plus faire passer le monde virtuel avant le monde réel.

WALDORF L'INDOMPTABLE

Waldorf l'Indomptable… Le pseudo d'Elliot ! Normalement, il ne laisse jamais de commentaire sur mon blog. . C'est comme une règle tacite qui s'est imposée dès le début pour assurer notre anonymat. Et il parle de moi, c'est certain.

Je scrute l'écran, tentant de comprendre… Il a dû être vexé que je reparle de Noah sur mon blog. Mais comment peut-il m'en vouloir ? Il n'a qu'à me soutenir, au lieu de garder cette espèce de distance bizarre ! Mes lecteurs, eux au moins, m'encouragent ! Et apprécient que je parle de mon histoire d'amour !

On sonne à la porte. Elliot ? Il n'est pas censé passer me prendre avant une heure… Avec un peu de chance, il s'en veut pour son commentaire et vient s'excuser en personne.

Des pas résonnent dans l'escalier. Je perçois la voix de Tom et une autre voix masculine. Je pose mon ordinateur sur mon bureau quand on frappe à ma porte.

— Entrez !

Contre toute attente, c'est Ollie qui apparaît.

— Salut, Penny.

Il passe la main dans ses cheveux, l'air gêné.

— J'espère que tu ne m'en veux pas de débarquer à l'improviste. Ton frère m'a dit que je pouvais monter.

Je le dévisage, sans savoir quoi répondre. Que fait-il ici ? Chez moi ?

— Eh bien… Entre…

Il s'avance, et je vois qu'il tient un paquet à la main.

— Je… euh… je t'ai acheté un cadeau de Noël.

— Sérieux ?! je m'exclame, sans pouvoir masquer mon ébahissement.

Je prends l'objet et le pose sur mon lit.

— Tu… tu peux t'asseoir… Enfin, si tu veux…

— Tu as l'air en forme, remarque-t-il. Enfin, c'était déjà le cas avant, bien sûr…

D'un coup, une idée horrible me traverse l'esprit. Megan l'aurait-elle envoyé ici ? Pour se venger de mes textos ? Non, c'est impossible… Ollie est arrivé bien trop vite…

— Alors, tu t'es éclatée aux États-Unis ?

— Ouais, c'était génial.

Rien que de repenser à New York, je me détends. Ce face à face est certes très étrange, mais je peux le gérer.

— Dis…, reprend Ollie, le regard fuyant. Je… Je voulais te voir avant la rentrée pour… te demander pardon.

— Pardon pour quoi ?

— Pour ce qui t'est arrivé après le spectacle… Même si ce n'est pas moi qui ai posté la vidéo. D'ailleurs, je ne l'ai même pas partagée.

Je me rappelle son commentaire : « Mais non, elle est mimi. » Il poursuit :

— N'empêche que je suis désolé que tu aies subi ça. Et que ça t'ait obligée à manquer les cours.

Je le dévisage, à la recherche d'indices prouvant son double jeu… Mais il semble parfaitement sincère.

— Le truc, Penny, c'est que… je t'aime bien.

Hein ?!!

Je reste un instant bouche bée. Puis je reprends mes esprits et marmonne :

— Je… J'ai besoin d'aller aux toilettes…

Je dois m'éloigner… me mettre au calme pour raisonner !

— Euh… OK, réplique Ollie, dérouté.

Je file m'enfermer dans la salle de bains où j'entreprends de faire les cent pas (ce qui n'est pas aisé dans une pièce de quatre mètres carrés).

Ollie « m'aime bien ». Qu'est-ce que ça veut dire ? Qu'il m'aime… « tout court » ??! Nooooon, c'est impossible…

Pendant des années, j'ai rêvé qu'il prononce ces mots. Combien de nuits passées à imaginer la scène ! Et le baiser fougueux qui, forcément, se serait ensuivi ! Mais voilà que mon fantasme est devenu réalité… et je ne ressens RIEN ! Ma rencontre avec Noah m'a fait prendre conscience que mes sentiments pour Ollie n'étaient pas de l'amour. Un coup de cœur, seulement. Surtout, ils ne reposaient pas sur la réalité, uniquement sur des fantasmes.

En attendant, ce qui vient de se passer n'a rien d'abstrait, et je dois y faire face… Un peu d'eau sur mon visage, et je me regarde dans le miroir.

Tu peux le faire !

Quand je reviens dans ma chambre, Ollie se tient raide comme un I devant ma coiffeuse.

— Toi aussi, tu craques sur ce mec ? me demande-t-il en désignant la photo de Noah.

— Pardon ?

— Noah Flynn. Megan n'arrête pas de parler de lui et de son dernier album. J'ai beau lui rappeler qu'il est avec Leah Brown, elle reste sous le charme.

Je me retiens au dossier de la chaise pour ne pas vaciller.

— Qu'est-ce que tu as dit ?

Ollie désigne de nouveau la photo.

— Le chanteur Noah Flynn. Toi aussi, tu craques sur lui ?

Chapitre 37

Je ne comprends rien. Pourtant, il y a forcément une explication. Je tente de m'exprimer :

— Je… je le connais.

— Mais bien sûr ! réplique Ollie avec un sourire incrédule.

— Je te jure… Je l'ai rencontré à New York.

Mon cerveau bouillonne. Il faut que je m'assoie. Qu'a voulu dire Ollie quand il a prononcé les mots « Toi aussi, tu craques sur lui » ? Et pourquoi prétend-il que Noah est avec Leah Brown ? Leah Brown, la méga popstar américaine…

Cette fois, Ollie a l'air impressionné.

— Vraiment, tu le connais ?

J'acquiesce.

— Waouh ! Tu vas rendre Megan ultra-jalouse ! Raconte, il est comment ?

— Il est… très sympa… Mais je n'ai pas compris ce que tu as dit, tout à l'heure. Sur Leah Brown…

— Ils sont ensemble. Apparemment, il a même écrit une chanson de son prochain album.

Ollie parle avec un tel détachement que j'ai presque envie de rire. Cette histoire est absurde. Et invraisemblable. À moins que…

Subitement, je repense à la conversation que j'ai surprise entre Noah et Sadie Lee. Ce serait à cela qu'elle faisait allusion ? Quand elle lui conseillait de me parler ? Impossible… Ce serait trop énorme. Comment Noah pourrait-il être une star et sortir avec une chanteuse ultra-célèbre – et méga-sublime – sans que je le sache ? Ollie le confond forcément avec quelqu'un d'autre.

— Tu es sûr que c'est lui ?

Ollie se lève pour étudier la photo.

— Sûr et certain. Je reconnais son tatouage sur le poignet.

Il se retourne et me fixe.

— Pourquoi cette question ? Tu dois bien savoir qu'il s'agit de Noah Flynn si tu l'as rencontré

— Oui, je…

D'un coup, je me rends compte que Noah ne m'a jamais donné son nom de famille. Je vais tourner de l'œil…

— Je… je ne me sens pas très bien.

Ollie pose la main sur mon épaule. Nouveau haut-le-cœur.

— Mieux vaut que tu t'en ailles…, je marmonne.

— Mais… Tu allais très bien, il y a cinq minutes !

— Eh bien, plus maintenant.

Tant pis pour la politesse. Je n'ai qu'une idée : être seule pour tirer au clair cette affaire.

— D'accord, consent-il enfin. Mais j'allais te… je me demandais si tu…

Comment Noah pourrait-il être une rockstar ? C'est invraisemblable ! Et pourtant… c'est vrai qu'il a une voix superbe. Et il y a la magnifique chanson qu'il m'a écrite. Mais d'ailleurs, pourquoi m'aurait-il écrit une chanson s'il était avec quelqu'un d'autre ?

Ollie termine sa phrase :

— … Ça te dirait d'aller manger une pizza, un soir ? Ou autre chose ?

— Hein ? je rétorque, ahurie.

— Penny, je sais ce que tu ressens pour moi. Megan m'a tout dit.

Je vis un cauchemar… qui ne fait qu'empirer à chaque seconde.

— Et il se peut…, poursuit-il, que je ressente enfin la même chose pour toi.

Enfin ?!! T'es sérieux, là ?

— Il faut que tu t'en ailles, je répète sans détour.

— D'accord. Mais… ça veut dire « oui » ?

— Non ! ça veut dire NON ! Tu veux bien partir, maintenant ?

Ollie me dévisage.

— Bon, marmonne-t-il enfin. On se voit au collège, alors.

— Oui. Salut.

Dès qu'il est parti, je me rue sur mon ordinateur et tape « Noah Flynn » dans la barre de recherche Google. C'est une erreur, forcément. Je ne sais pas comment ni pourquoi, mais Ollie confond Noah avec quelqu'un d'autre.

Pourtant…

Je plaque mes deux mains sur ma bouche en voyant des milliers de résultats s'afficher sur mon écran. Il y a une photo à côté du deuxième : Noah, guitare en main. Je clique sur le lien. C'est un article qui titre : « *Noah Flynn, phénomène du web, signe avec Sony* ».

Le cœur battant, je parcours le texte. Tout a commencé il y a deux ans. Noah a ouvert une chaîne YouTube sur laquelle il a posté des chansons ; au bout de quelques semaines, il avait plus d'un million d'abonnés. Jusqu'à la consécration, il y a deux mois, quand il a signé chez Sony. Quelle fierté je ressens en lisant les propos du P-DG de la major : il évoque le « talent brut » de Noah, et souligne sa joie de produire un premier album si réussi.

Je repense alors à ce qu'a dit Ollie au sujet de Noah et de Leah Brown. Ça, pour le coup, ce ne peut pas être vrai ! Leah Brown est une méga-star, le genre qui voyage en jet privé et qui remplit des stades. Tom l'a même vue en concert il y a un an.

Presque à contrecœur, je tape : « Noah Flynn et Leah Brown ». La plupart des résultats proviennent de sites people américains. Tous datent d'il y a un mois, et relatent la même info : « *Leah Brown et Noah Flynn amoureux* ».

J'arrive à peine à respirer. La page Twitter de Leah Brown arrive en cinquième position des résultats. Je clique, et tombe sur son tweet le plus récent, où elle souhaite une bonne année à ses fans depuis Los

Angeles ; le second parle de son nouvel album. Le troisième… :

@LeahBrown : Super soirée de Noël chez #Sony avec mon chéri @NoahFlynn.

En dessous, une photo d'elle enlaçant Noah. La publication date de la veille de notre rencontre. J'ai envie de vomir.

Je clique sur le tag « @NoahFlynn » pour voir son profil. Depuis l'ouverture de son compte, Noah n'a posté que trois tweets, tous au sujet de son contrat. Je lève la tête vers sa photo scotchée à mon miroir, et des larmes de rage me montent aux yeux. Comment a-t-il pu me faire une chose pareille ? Comment a-t-il pu me mentir aussi effrontément ? Il a une copine ! Et pas n'importe qui ! Une star internationale ! J'en veux même à Sadie Lee… Comment a-t-elle pu le laisser faire ?!

Mon portable bipe, et je frémis en songeant que ce puisse être Noah. Que dire ? Que faire ? Je saisis le téléphone. C'est un message d'Elliot.

Elliot : Finalement pas envie de faire un tour en ville. Je reste chez moi, j'ai des devoirs de maths. Bisou.

Il ne regrette donc pas son commentaire sur mon blog. Pire : il ne veut plus me voir ! Cette fois, c'est la colère qui me submerge ! Dans le fond, c'est tant mieux qu'Elliot n'ait plus envie de sortir. Au moins, je n'aurai pas à lui raconter les derniers retournements et le voir s'en réjouir !

Mais la rage laisse vite place au désespoir. C'est comme si la Terre s'ouvrait sous mes pieds et que ma vie tombait en ruine…

Je me réfugie sous ma couette et éclate en sanglots. Mon cerveau est envahi de tous ces détails qui, rétrospectivement, prouvent que Noah me mentait. Il y a la fille qui le fixait le jour où il m'a emmenée acheter le diadème. Je tente de me rappeler ce qu'elle disait au téléphone… « Je te jure ! » Je la revois, s'avançant vers le 4 × 4, et Noah s'empressant de mettre le contact… Est-ce qu'il s'est rendu compte qu'elle l'avait reconnu ? Et la soirée à la galerie d'art, alors ? Il m'a présentée à quelques amis qui devaient bien connaître son histoire avec Leah Brown… Pourquoi prendre un tel risque ? Voilà qui me conduit à des pensées encore plus sombres… Quand Dorothée l'a félicité, dans le couloir, elle parlait évidemment du contrat avec Sony. Ça n'avait rien à voir avec moi ! Il m'a donc menti, en me regardant droit dans les yeux.

Je suis tellement sous le choc que j'en tremble. Et le flot de souvenirs, vus sous un nouveau jour, ne cesse d'affluer… Je me rappelle comment il a interrompu la conversation avec Antonio et précipité la fin de notre repas… Moi qui m'imaginais qu'il voulait passer du temps à deux ! À mon chagrin se mêle à présent de la fureur.

— ESPÈCE DE SALE MENTEUR ! je hurle en sautant de mon lit.

Je fonce vers ma coiffeuse et arrache la photo du miroir pour la déchirer en mille morceaux.

— MENTEUR ! MENTEUR ! MENTEUR !

Je m'effondre par terre, et pleure toutes les larmes de mon corps. Comment ai-je pu croire que j'allais échapper à ma malédiction… Penser qu'on puisse m'aimer sincèrement ?! Cette histoire n'était qu'une tromperie ! Et moi, j'en ai fait des notes de blog… ! J'ai raconté au monde entier que j'avais rencontré l'*âme sœur* !

Je reste des heures dans mon lit, incapable de bouger, secouée par les sanglots. Heureusement, mes parents croient que je suis épuisée à cause du décalage horaire et ne viennent pas me voir.

À la nuit tombée, je retrouve quelques forces. Je repousse la couette et fixe ma chambre plongée dans le noir.

Tu ne vas pas rester pour toujours blottie dans ton lit… Il faut faire face.

J'allume mon téléphone et un « bip » retentit.

C'est Noah…

Je frissonne des pieds à la tête

Noah : Salut, Événement Perturbateur ! Tu me manques… Fais-moi signe quand tu te lèves, on pourrait skyper.

Quel goujat ! Comment ose-t-il m'écrire un tel message alors qu'il a une copine ?!

Penny : Ça ne fonctionnera jamais entre nous, je ne veux plus de contact. Désolée.

Pourquoi « désolée » ? Je n'ai pas à m'excuser ! J'efface le dernier mot et appuie sur « Envoyer ». Puis j'éteins le téléphone et retourne me coucher.

Sous ma couette, je me remémore le conseil de Bella : il faut penser à trois choses heureuses pour chasser la tristesse. Je me creuse le cerveau. Une seule idée me vient : mon blog. C'est ma seule raison d'être. Là, au moins, on m'aime et on me comprend. C'est une lueur d'espoir... Demain matin, je publierai une note sur cette affaire – je n'entrerai pas dans les détails mais j'expliquerai que Brooklyn Boy était un imposteur. Mes lecteurs sauront comment réagir. Ils m'aideront à surmonter cette épreuve.

Chapitre 38

À mon réveil, il fait encore noir. Quelle heure est-il ? Quel jour sommes-nous ? Dans quel pays suis-je ? Un haut-le-cœur me saisit et je me rappelle ce qui s'est passé.

Je referme les yeux… Je veux me rendormir, sombrer dans l'oubli. Peine perdue… Noah m'a menti.

Sur tout.

C'est une rockstar.

En contrat avec Sony.

Et il a une copine aussi célèbre que lui.

Moi, je ne suis qu'une simple collégienne de Brighton. Les people, je ne les côtoie qu'à travers les médias. Sauf la fois où j'ai croisé par hasard Fatboy Slim à la terrasse d'un café et où j'ai éternué si fort que mon chewing-gum a atterri sur son blouson.

Soudain je me dresse, harcelée par les questions. Noah n'a-t-il fait *que* me manipuler ? N'y avait-il rien de vrai entre nous ? N'étais-je qu'une distraction, pendant que Leah Brown avait le dos tourné ? Je ne peux pas m'y résoudre !

Je cherche mon téléphone dans le noir et l'allume. Mes sonneries de SMS et de notifications de blog retentissent en même temps. Et dire que je vais devoir expliquer à mes lecteurs que Brooklyn Boy n'était qu'un escroc ! J'en ai l'estomac retourné.

Il y a deux textos de Noah. Le premier date de juste après le mien.

Noah : Hein ? Plus de contact ?? Tu plaisantes, j'espère ?! J'ai essayé de t'appeler mais je tombe sur ta messagerie. Rappelle-moi STP !

Le second a été envoyé à cinq heures trente du matin, c'est-à-dire il y a moins d'une heure.

Noah : J'espère qu'ils t'ont fait un gros chèque avec plein de zéros. Rassure-toi : il n'y aura plus aucun contact entre nous. D'ailleurs, j'ai changé d'adresse mail et je résilie ce numéro de téléphone. Je ne veux plus jamais avoir de tes nouvelles. J'avais confiance en toi.

Je relis trois fois. « J'avais confiance en toi » ?! Ce n'est pas moi la menteuse ! Je ne suis en couple avec personne !

Trop en colère pour raisonner, je tape aussitôt une réponse ·

Penny : TOI, tu me faisais confiance ????!!! Et moi, alors ? Tu m'as menti ! Et tu as cru que je ne découvrirais rien ? Ou pire : tu te fichais de me faire mal, c'est ça ?

Je suis en rage. A peine le SMS envoyé, un message d'erreur s'affiche sur mon écran. Noah a déjà changé de numéro ! Il m'a écartée de sa vie à la minute où j'ai vu clair dans son jeu. Je suis consternée… Je ne cesse de mesurer combien je me suis trompée à son sujet… Il a probablement peur que Leah Brown ne découvre son infidélité. Comme si j'allais l'appeler pour lui dire : « Eh, Leah, tu ne me connais pas – normal, je ne suis qu'une pauvre gamine de Brighton – mais pendant que tu fêtais Noël à Los Angeles, moi je me tapais ton mec à New York ! »

À mon indignation vient se mêler du chagrin. Je prends conscience de la distance qui me sépare à présent de Noah, et qui n'a rien à voir avec l'océan.

Pour me changer les idées, tant bien que mal, je consulte mes mails. « 237 nouveaux messages ». Mes lecteurs ont dû partager leurs résolutions…

Sauf qu'en parcourant les messages, je constate que la moitié sont des notifications Twitter. C'est louche… Je n'utilise Twitter que pour diffuser mes notes de blog et pour suivre l'actualité de quelques photographes et blogueurs ; je n'ai aucune raison de recevoir des notifications. Je clique sur la première :

@girlonline22, tu me donnes envie de vomir.

Pardon ?

@NoahFlynn trompe @LeahBrown avec la blogueuse anglaise @girlonline22. WTF ??

La panique me gagne. Qui sont ces gens ? Pourquoi ces tweets ? Comment sont-ils au courant ?

En deux clics, je suis sur mon fil Twitter. Quelques notifications viennent de mes lecteurs de blog qui demandent, en substance : « Brooklyn Boy serait donc Noah Flynn ? » ou « Qui est ce Noah Flynn ? ». Mais la majorité sont l'œuvre de parfaits inconnus qui m'insultent sans détour.

Comme si @LeahBrown avait le moindre souci à se faire ! @girlonline22 est trop moche !

Alors @girlonline22, on s'achète quelques minutes de gloire ?

Je déteste les gens qui racontent la vie privée des autres ! Zéro classe @girlonline22 !

Et ça n'arrête pas… Au bout de plusieurs dizaines de tweets, j'en vois un qui vient de *Celeb Mag*, un magazine people en ligne :

Quand le chat n'est pas là… ? Lisez notre exclu : « En l'absence de Leah Brown, Noah Flynn flirte avec la blogueuse anglaise @girlonline22. »

Je clique sur le lien et parcours l'article avec épouvante.

En l'absence de Leah Brown partie passer Noël en famille sur la côte ouest, Noah Flynn, son nouveau compagnon, a trouvé quelqu'un d'autre à embrasser sous le gui : la blogueuse anglaise Penny Porter, mieux connue sous le pseudo « Girl Online ».

Je fixe l'écran avec stupeur. Ils connaissent mon nom ! Comment ?

Sur son blog, Penny Porter a raconté tous les détails de sa rencontre avec Noah Flynn, surnommé « Brooklyn Boy ». Une sacrée désinvolture à l'égard de Leah Brown, qu'elle n'évoque pas une seule fois ! Certains sont décidément prêts à tout pour qu'on parle d'eux ! En attendant, personne ne souhaiterait être à la place de Noah quand sa compagne rentrera de vacances…

Sous l'article, s'affichent cinquante-six commentaires. Je lis le premier :

Quelle garce, cette Penny Porter !

Quelqu'un a répondu :

Moi, je trouve qu'elle a l'air cool. L'ordure, c'est Flynn qui a trompé sa copine quand elle avait le dos tourné.

Réplique d'un autre internaute :

Sauf que Penny Porter savait forcément qu'il avait une copine…

Comment peuvent-ils me juger sans me connaître ? Je remonte la page et vois que l'article contient un lien vers mon blog – et ce lien mène à mon premier post sur Noah. Je relis la publication en me mordant la lèvre et consulte le commentaire le plus récent :

Pour info, le Prince charmant n'était pas un salaud, et Cendrillon n'avait rien d'une traînée !

Les commentaires qui suivent sont dans le même registre, sauf certains fidèles lecteurs qui demandent : « C'est vrai, cette histoire ? » À la fin, il y a un message de Miss Pégase.

Penny,
Tu n'as probablement rien à faire de mon avis mais je te le donne quand même. Jusqu'à aujourd'hui, j'étais heureuse de savoir que tu avais rencontré quelqu'un... mais sortir avec une personne déjà maquée, c'est une mauvaise idée. Ça cause beaucoup de souffrance. Pour te donner un exemple : les problèmes d'alcool de ma mère ont commencé quand mon père est parti avec une autre femme. Alors tu vois, c'est un sujet particulièrement sensible pour moi. Je ne pense pas pouvoir continuer à lire ton blog.

MISS PÉGASE

Je suis figée d'effroi. D'horribles rumeurs circulent sur moi partout dans le monde et on m'adresse des messages de haine. Ceux-ci proviennent de gens que je ne connais pas, mais eux savent qui je suis. Ils ont mon nom. Ils consultent mon blog. Et s'ils découvrent où j'habite ?

Je suis prise de tremblements. Ma gorge se serre – impossible de déglutir, de respirer. J'ai besoin d'aide. Mes membres sont lourds comme du béton. La porte semble si loin... Hors de portée. Que faire ?

Des images tournent dans mon esprit, de hordes de personnes assiégeant ma maison. Elles lancent des pierres et brandissent des messages d'insultes. Je suis en danger… Mes lecteurs me détestent… Tout le monde me déteste ! Je redouble de sanglots. Je n'ai jamais eu aussi peur, je ne me suis jamais sentie si seule.

Chapitre 39

— Penny ! Penny ! Que se passe-t-il ?

Maman se précipite dans ma chambre.

Je suis roulée en boule, par terre.

— Rob ! Rob ! Viens vite ! appelle-t-elle en allumant la lumière.

Je la sens qui s'accroupit près de moi et qui pose la main sur mon bras.

— Tout va bien, chérie, je suis là…

Je ne pleure même plus – je gémis. J'entends mon râle, mais je suis comme déconnectée de moi-même.

— Tu peux t'asseoir ?

Des pas résonnent dans l'escalier et la voix de papa s'élève :

— Qu'est-ce qu'il y a ?… Oh ! Pen !

Ses bras forts m'entourent et je trouve juste assez de force pour me redresser, lentement, et me blottir contre lui. Je voudrais redevenir un bébé et n'avoir plus aucun souci.

— Dis-moi…, souffle mon père.

Maman pose ma couette sur mes jambes et demande :

— Tu as eu une crise d'angoisse ?

J'acquiesce, incapable de parler. Je claque des dents comme s'il faisait moins quinze.

— Raconte-nous ce qui t'a angoissée…, suggère papa d'une voix douce.

Comment leur expliquer que Noah m'a menti et que le monde entier me déteste ?

— Je ne sais pas…, je marmonne. C'est le stress de retourner demain au collège.

Je sens papa se raidir.

— Il y a eu des suites à la vidéo ? Parce que si c'est le cas, je…

— Non ! Je suis fatiguée, voilà tout. Et le décalage horaire n'arrange rien.

Maman esquisse une moue peu convaincue. Mais je ne peux rien leur dire, j'en suis certaine. La vérité les inquiéterait trop.

— Est-ce qu'un thé te ferait du bien ?

J'acquiesce.

— Et un bon petit-déjeuner ? propose papa.

Je hoche encore la tête, bien que j'aie la gorge bien trop nouée pour avaler quoi que ce soit.

Je me remets au lit sous le regard anxieux de mes parents et, dès qu'ils ont tourné les talons, je m'empare de mon ordinateur. Je me connecte à mon blog et en quelques clics, efface toutes les notes concernant Noah, puis je désactive les commentaires sur les posts restants. Rien que ça, ça me tranquillise un peu.

Je retourne sur Twitter. Vingt nouvelles notifications. Sans en lire une seule, je clique sur l'option :

« Supprimer votre profil ». Une deuxième porte de fermée. Idem sur Facebook.

Puis je ferme mon ordinateur. Le brouillard d'angoisse se dissipe, et je m'efforce de raisonner. Qui a parlé de moi à *Celeb Mag* ? Qui les a informés de mon blog ?

Ollie ? Je ne vois que lui. Il est le seul à savoir que « mon » Noah et Noah Flynn sont la même personne... Sauf que je ne lui ai pas raconté ce qu'il s'était passé entre nous. Et puis Ollie ne sait rien de mon blog. Le seul qui en connaisse l'existence, c'est Elliot.

Elliot...

Il n'aurait jamais fait une telle chose... Sauf que ces derniers temps, il s'est montré imprévisible. La preuve : son commentaire mesquin... Mais ça ne tient pas : lui non plus ne connaissait pas la véritable identité de Noah. À moins que... Qu'a-t-il dit, déjà, quand je lui ai montré la photo prise au parc ? Que Noah avait « un air familier »... Après quoi, il s'est empressé de changer de sujet. Est-ce qu'il l'avait reconnu ?

Je ne peux pas le croire... Elliot aurait donc mouchardé ? Je l'imagine dans sa chambre, envoyant un message anonyme à *Celeb Mag*. Les pièces du puzzle s'assemblent... Elliot m'en voulait d'avoir parlé de mon histoire d'amour sur mon blog et, quand il a reconnu Noah sur la photo, il a trouvé l'occasion de se venger ! Voilà pourquoi il a annulé notre sortie d'hier : il avait déjà prévu de me trahir et, depuis, il a forcément vu le déchaînement des internautes contre moi… Mais, alors qu'il s'était montré très protecteur suite à la publication de la vidéo, cette fois-ci, rien. Pas de nouvelles, et encore moins de message de soutien.

Ce sont des coups de poing dans mes tripes. D'abord Noah, maintenant Elliot. Le second est encore pire que le premier. Elliot et moi, on se connaît depuis toujours et on est meilleurs amis. On l'était, du moins…

Quand maman revient avec un thé fumant, elle me trouve de nouveau en larmes. Elle pose la tasse sur ma table de nuit et s'assied près de moi.

— Tu es sûre que rien d'autre ne te tracasse, chérie ?

Je secoue la tête.

— Bon… Tu sais où me trouver si besoin.

Je puise dans mes dernières forces pour esquisser un sourire.

Après son départ, je reste assise sur mon lit, les yeux fermés, en attendant l'arrivée de papa.

— C'est la recette de Sadie Lee ! annonce-t-il en me présentant une assiette de pancakes.

Ces mots sont un nouveau coup dans le ventre. Moi qui appréciais tellement Sadie Lee… Elle n'est en réalité qu'une traîtresse parmi les autres.

Après s'être à son tour assuré que je n'avais besoin de rien, papa se retire. Je pose le plat près de la tasse, sans y toucher. Je suis anesthésiée, meurtrie, épuisée. Mon seul désir : rester au fond de mon lit.

À chaque mail, je frémis d'effroi. Je finis par éteindre mon téléphone et enfouir mon ordinateur au fond du placard, sous une pile de vêtements. Ça va mieux durant quelques secondes, puis j'imagine le flot de messages haineux qui remplissent l'armoire. Ils m'engloutiront dès que j'ouvrirai la porte.

L'angoisse s'empare de moi, encore... Mais cette fois, je me rappelle quoi faire. Les yeux fermés, je visualise une boule noire dans mon thorax. « Tout va bien, lui dis-je. Tout va bien. » Et, au lieu de lutter, je m'efforce d'accepter mes émotions et de leur faire face, à l'intérieur de moi. Je respire lentement.

— Tout va bien, je murmure.

La peur commence à s'estomper et, parallèlement, je prends conscience qu'en effet « tout va bien ». Je ne vais pas mourir de mon angoisse.

Et je ne vais pas non plus mourir de cette affaire. Qu'elle soit terrifiante et blessante, oui, pas de doute. Mais elle ne me tuera pas. *Tout va bien.* Je prends une nouvelle inspiration. La peur continue de rétrécir ; elle ne fait plus que la taille d'une balle de tennis. Elle est moins noire aussi, plutôt grise, et bientôt elle vire au blanc. Puis à l'or. Dehors, les mouettes criaillent. Je pense à la mer. *Tout va bien.* Je peux contrôler mes émotions. Je m'imagine sur la plage, mon corps baigné dans la clarté du soleil. *Tout va bien.*

Je reste ainsi plus d'une heure, les paupières fermées, concentrée sur ma respiration et le cri des mouettes. Puis on frappe à ma porte.

— Pen, je peux entrer ?

J'ouvre les yeux et me redresse. C'est Tom.

— Oui ! C'est ouvert.

Au premier coup d'œil, je sais qu'il sait. Il n'a jamais paru aussi inquiet.

— C'est vrai ? demande-t-il de but en blanc, en s'asseyant sur mon lit. Noah Flynn et toi, vous…

Je baisse les yeux. Face à mon silence, il reprend :

— C'est le Noah dont maman et papa n'arrêtent pas de parler ? Celui qui vous a hébergés à Brooklyn ?

J'acquiesce et précise :

— Je ne savais pas qui il était. Toi, tu avais déjà entendu parler de lui ?

— Oui. J'ai lu récemment un article sur son contrat avec le même label que sa copine, Leah Brown. Il ne t'a rien dit ?

— Non ! Je ne sortirais jamais avec un mec maqué !

Tom fronce les sourcils.

— Alors il t'a menti ?

— Il faut croire… Comment tu as su ?

— On ne parle que de ça sur Facebook, Twitter, Tumblr…

— Je ne sais pas quoi faire, Tom, je confie, les yeux brûlants de larmes. J'ai peur.

— Ça va aller, frangine, assure-t-il en me prenant la main. Tu vas t'en sortir. Comment ce site a-t-il su, pour votre histoire ?

— Quelqu'un a dû les contacter.

— Mais qui ?

— Aucune idée…

Je ne peux pas lui avouer que je soupçonne Elliot – pas avant d'avoir une preuve.

— Pas grave. L'important, c'est que tu puisses donner ta version des faits.

— Hein ? Non ! Je ne veux plus aller sur Internet !

Tom me regarde droit dans les yeux.

— Pen, tu te rappelles quand j'étais en sixième ? Un gamin de ma classe – Jonathan Price – m'embêtait tout le temps et lançait des rumeurs à mon sujet.

— Celui qui te volait tes Kit Kat ?

— Oui. Pour l'éviter, je faisais souvent semblant d'être malade et je suppliais maman de ne pas m'envoyer au collège. Mais un jour, tu m'as dit…

Il prend un ton suraigu pour me citer :

— « Si tu ne retournes pas en classe, personne ne saura que Jonathan raconte des bobards ! »

— Vraiment ? J'ai dit ça ?

— Ouaip, mais pas avec une voix de Schtroumpf, réplique-t-il avec un sourire. N'empêche que tu avais raison. Et c'est ton conseil qui m'a remis sur le chemin du bahut.

Je le dévisage, sidérée d'avoir eu une telle influence.

— Tu avais raison, poursuit-il. Si j'étais resté terré dans ma chambre, tout le monde aurait cru ce sale gosse ! Et personne n'aurait su combien je suis un type génial !

— Génial *et* modeste, je corrige avec un rictus.

— Bien sûr. Alors, je te donne le même conseil : si tu restes planquée, tu laisseras proliférer toutes ces horreurs à ton sujet, et personne ne saura que tu es au contraire une fille exceptionnelle.

— Tom ! je m'écrie avec émotion.

— C'est vrai ! Tu es une fille super ! Je te soutiendrai quel que soit ton choix, mais je t'encourage vraiment à t'exprimer.

Il marque un temps avant d'ajouter, avec une mine féroce :

— Et je veux que tu me donnes l'adresse de ce Noah Flynn pour que j'aille moi-même lui casser la gueule.

Je m'esclaffe.

Il me prend dans ses bras et ajoute :

— Je t'aime très fort, sœurette.

— Moi aussi, je t'aime très fort. Je te demande une seule chose : s'il te plaît, ne dis rien aux parents. Je ne veux pas qu'ils s'inquiètent.

Tom acquiesce.

— D'accord. Quant à moi, je reporte mon retour au campus, au cas où tu aurais besoin d'aide pour ton retour au collège.

— Vraiment ? Tu ne vas pas t'attirer des ennuis ?

— Je ne m'attire jamais d'ennuis !

Il sourit et je ressens tant de gratitude. J'ai perdu Noah et sans doute Elliot, mais j'ai ma famille. Pour toujours.

Chapitre 40

Pour me détendre, je prends un bain aux huiles essentielles. Je laisse la chaleur parfumée envelopper mon corps et j'éprouve une étrange sensation de sérénité. Je ne suis pas moins triste, mais je me sens moins seule. Je plonge la tête sous l'eau et mes cheveux flottent autour de moi. Les mots de Noah résonnent dans mes oreilles :

« Tu ressembles à une sirène. »

Je me redresse. Trop tard… Me revoilà assaillie par les questions : comment peut-on feindre à ce point la gentillesse et la sincérité ? Comment a-t-il pu tenir son mensonge aussi longtemps ? Pourquoi m'a-t-il fait ça ?!!

Mais je m'oblige à chasser ces pensées. Peu importe les « comment » et les « pourquoi ». Seuls comptent les faits.

Je sors du bain et me tartine de crème hydratante. Puis j'enfile ma robe de chambre la plus douillette et retourne dans ma chambre. J'allume la guirlande lumineuse autour de ma coiffeuse… Mauvaise idée – cela me rappelle la tente de Noah. J'éteins les loupiotes et me rabats sur ma lampe de chevet. De l'autre côté du mur, j'entends claquer la porte de la chambre d'Elliot.

C'est encore le plus efficace pour cesser de penser à Noah : laisser libre cours à ma colère contre mon soi-disant meilleur ami. Il a forcément vu les attaques des internautes, pourtant il ne m'a toujours pas fait signe, pas un message codé, pas un texto, pas un appel ! À moins qu'il n'ait essayé de me téléphoner pendant mon bain ? Je sors mon portable de l'armoire. Rien. Retour à la case « colère ».

Tout est sa faute ! C'est lui, qui m'a balancée à *Celeb Mag* ! Mais Tom a raison. Je ne peux pas rester terrée dans ma chambre. Je dois affronter Elliot et lui dire ce que j'ai sur le cœur.

Ce n'est qu'en remontant d'un pas décidé l'allée de la maison des Wentworth que je me rends compte que je n'ai pas mis les pieds chez eux depuis des lustres. J'appuie sur la sonnette et me retrouve face au père d'Elliot. Il me regarde d'un air surpris et un peu dédaigneux – son expression habituelle, même quand il regarde son fils.

— Oui ? fait-il, comme s'il ne me reconnaissait pas.

— Elliot est là, s'il vous plaît ?

Il soupire.

— Un instant.

Je reste plantée dans le froid polaire.

— Elliot ! appelle-t-il. Tu as de la visite !

J'entends une réponse au loin, mais pas assez distincte pour que j'en discerne les mots.

— Il n'est pas disponible pour le moment, décrète M. Wentworth.

— Quoi ? Mais…

— Merci. Au revoir.

Et la porte se ferme pour de bon.

Je regagne ma chambre en furie. Dommage qu'Elliot et moi n'ayons pas prévu un code pour dire : « Je te déteste, espèce de lâche ! » Je m'assieds sur mon lit et sonde la pièce, hagarde, avant de bondir à ma fenêtre. Si je reste rivée là, je finirai bien par le voir sortir de chez lui ! Et alors, je n'aurai plus qu'à le coincer dans la rue… Sauf que je ne serais jamais capable de faire ça… En désespoir de cause, je prends mon téléphone et lui écris un texto.

Penny : Je n'arrive pas à croire que tu aies fait une chose pareille ! Tu parles d'un meilleur ami !

Pour calmer mon chagrin, je me répète : « Tu n'es pas seule », en pensant à maman, papa et Tom. Je ne suis pas seule… Pourtant, je ne me suis jamais sentie aussi démunie et aussi isolée.

J'attends la réaction d'Elliot. Une minute, deux minutes… Dix minutes. Rien. C'est de plus en plus frustrant. Il ne vaut pas mieux que Noah ! Leur méthode : je te blesse, puis je me planque… Étourdie par la colère et la tristesse, je prends alors la pire des décisions : j'exhume mon ordinateur et me connecte à Internet.

D'abord, je me rends sur la page Twitter d'Elliot sans trop savoir ce que je cherche – la preuve qu'il a surfé récemment sur le web ? Une allusion à moi ? Mais son dernier tweet remonte au 25 décembre :

@ElliotWentworth : C'est le pire Noël de ma vie.

Impossible de vérifier son profil Facebook sans réactiver mon compte, du coup je vais voir sur Instagram. Il n'y a rien posté non plus depuis New York – un selfie de lui et moi à la table du petit-déjeuner. En revoyant la salle à manger du Waldorf, je regrette de ne pas pouvoir remonter le temps pour tout refaire différemment.

Sauf que ce n'est pas toi qui as tout fait cafouiller !

À présent, je tape « Noah Flynn » dans Google. Il y a du changement parmi les résultats : les premières entrées me concernent. Et il y a un nouvel article de *Celeb Mag* intitulé « *Noah Flynn, victime d'une dépression après la mort de ses parents* ».

Je clique sur le lien, le cœur battant.

S'il y en a un qui doit regretter d'avoir croisé la route de Penny Porter, mieux connue sous le pseudo « Girl Online », c'est bien Noah Flynn. Car, non seulement la blogueuse a révélé leur liaison, elle a aussi raconté que Noah avait fait une dépression suite à la mort tragique de ses parents il y a quatre ans. Cette instabilité psychologique explique-t-elle l'infidélité du rockeur ? Ce mal-être l'habite-t-il toujours ? L'agent de la star n'a pas souhaité commenter. Leah Brown s'est, elle aussi, abstenue de tout commentaire. Girl Online a quant à elle effacé ses notes de blog concernant « Brooklyn Boy ». Trop tard, Miss Porter, le mal est fait…

Il y a un lien, après la dernière ligne, intitulé : *Girl Online révèle les coins préférés de Noah Flynn à Brooklyn.* J'y prête à peine attention ; je suis trop choquée par ce que je viens de lire… Qu'est-ce que c'est que cette histoire de dépression ? Comment peut-on inventer de telles sornettes ? Je me creuse la tête et soudain, je me rappelle ma note sur les conseils de Noah pour faire face aux peurs…

Je n'ai jamais écrit qu'il avait fait une « dépression » ! Je n'ai même pas parlé de la mort de ses parents – juste qu'il avait perdu des êtres chers ! Ma colère ne fait que grandir, mêlée néanmoins à une légère culpabilité.

Je reviens à la page Google et parcours la suite des résultats jusqu'à en voir un qui me tétanise. C'est un lien YouTube, intitulé : « *VIDÉO : La nouvelle conquête de Noah Flynn s'affiche en public !* »

Oh, non…

Je clique : c'est bien la vidéo de ma chute à la fin du spectacle. Je reste un instant éberluée… Comment l'ont-ils trouvée ? Rien de plus facile, en réalité. Une simple recherche web avec mon nom a dû suffire. La vidéo comporte à présent des milliers de commentaires…

Ferme cet ordinateur et range-le dans ton placard ! Tu te fais du mal !

Mais je suis animée d'une force autodestructrice… « Beurk », « Dégueu ! » et « Pauvre fille » sont les mots les plus aimables que je glane parmi les premiers commentaires… Le reste est d'une cruauté sans nom. Pas de doute : les fans de Leah Brown s'en prennent à moi.

La voix de maman s'élève de la cuisine :

— Penny ! À table !

Je voudrais répondre que je n'ai pas faim, mais cela ne fera qu'augmenter son inquiétude et celle de papa. Je me traîne donc, telle une zombie, au rez-de-chaussée.

— Tout va bien ? questionne ma mère quand je m'attable.

— Ça va.

— J'ai encore décroché un contrat à New York, annonce-t-elle en s'installant à mon côté. Un bal pour la Saint-Valentin. Je voudrais proposer le buffet à Sadie Lee, mais impossible de la joindre.

— Comme c'est étrange…, marmonne Tom.

Je lui adresse un regard alarmé.

— Pourquoi dis-tu cela, Tom ? questionne maman, intriguée.

— Pour rien…

Maman l'observe un instant, puis reprend :

— C'est une bonne nouvelle, non ? Nous allons pouvoir tous retourner à New York !

Ma seule pensée : « Si je remets les pieds aux États-Unis, je suis certaine de me faire lyncher ! »

Je parviens néanmoins à acquiescer.

Pendant que mes parents discutent de leurs affaires désormais florissantes depuis l'afflux de clients américains, je mâche lentement mes lasagnes. Les images de ma chute tournent dans ma tête. Et dire qu'à l'époque où Megan les a postées, il ne pouvait rien m'arriver de pire... À présent, des milliers de personnes les regardent ! Tout ça, par la faute d'Elliot...

À mi-repas, je repousse mon assiette. Heureusement, maman et papa sont tellement absorbés dans leur conversation qu'ils me remarquent à peine quand je sors de table. De retour dans ma chambre, je vérifie mes textos. Toujours pas de message d'Elliot. J'ai envie de hurler.

Reprise par mon élan autodestructeur, je décide d'effacer toutes les images de mon appareil photo. Mais au moment d'appuyer sur « Supprimer », une force étrange me retient. Je continue à faire défiler les photos et atteins celles de ma chambre d'hôtel. Cette époque semble si lointaine, comme si elles dataient d'une autre vie... Une vie rêvée. Puis des détails attirent mon regard : la couverture sur le fauteuil. La vue de l'Empire State Building. Princesse d'Automne assise sur l'oreiller. Cela a bien existé. J'ai réellement séjourné dans cette chambre. Je me suis lovée dans ce siège. Et j'y ai perçu, pour la première fois, que j'étais aux commandes de ma vie.

Je sors la carte mémoire et la glisse dans la fente de mon ordinateur, puis j'imprime toutes les photos prises au Waldorf-Astoria. Une à une, je les affiche autour de mon miroir et les contemple. Les émotions et les pensées que j'ai eues dans ce lieu étaient certes dues à Noah… mais pas seulement. Elles tenaient aussi à moi, rien qu'à moi. C'est *moi* qui ai décidé d'affronter ma phobie de l'avion. *Moi* qui ai choisi de me faire confiance. *Moi* encore qui ai cru en Noah et qui suis tombée amoureuse de lui. Peu importe ce que raconte la presse ; je sais ce qui s'est vraiment passé parce que c'est l'histoire de *ma* vie. Et cette passade ratée ne signifie pas que je ne vivrai jamais d'histoire d'amour. Je peux faire ce que je veux de mon existence – tant que je n'oublie pas qu'elle n'appartient qu'à *moi*, et à personne d'autre.

Je capte mon reflet dans le miroir. Mes yeux sont rouges d'avoir tant versé de larmes et j'ai un teint spectral. Je détache mes cheveux et les secoue – j'apprécie toujours leur rousseur. Voilà ce qui reste de l'amour, malgré les mensonges. J'éteins mon ordinateur, je coupe mon téléphone et me mets au lit.

Chapitre 41

Le lendemain matin, dès le lever, je vais m'asseoir devant les photos du Waldorf, m'imprégnant de ces souvenirs heureux comme on recharge une batterie.

On frappe à ma porte et Tom apparaît.

— Je t'emmène au bahut, propose-t-il. Je resterai devant toute la journée au cas où tu aurais besoin de moi.

— Tu ne peux pas faire ça ! Tu vas mourir d'ennui !

— Je serai dans ma voiture avec mon ordi. J'en profiterai pour finir mon mémoire.

— Merci, dis-je avec sincérité.

Mon frère s'avance vers moi et m'entoure de son bras.

— Tu vas y arriver, sœurette, ne t'inquiète pas.

En marchant vers le collège, je me répète les paroles de Tom comme une formule magique : « Tu vas y arriver… Tu vas y arriver… » Sur mon passage, tout le monde se tait. C'est impressionnant, bien sûr, mais je préfère encore ce silence aux commentaires haineux d'hier. Même les coups de coude entre élèves et les regards pesants ne me dérangent pas tant que ça. Cela fait tout de même bizarre d'être à ce point le centre d'attention. Jusqu'à présent, je vivais dans l'ombre de Megan… Maintenant, tout le monde me remarque. En remontant le couloir vers ma classe, je pense à Tom garé à l'entrée. Ça me rassure de le savoir si près !

J'entre dans la salle et le silence se fait. Tout le monde m'observe. Après ma traversée de la cour et du premier étage, quelques paires d'yeux en plus ne me font rien. Une seule chose m'importe : je n'aurai pas à affronter Megan et Ollie avant le cours de théâtre, puisque nous ne sommes pas dans la même classe. Je m'installe à une table à côté de Kira et Amara. Toutes deux me dévisagent. D'un ton aussi tranquille que possible, je dis :

— Salut.

— Salut, réplique Amara. Tu… tu vas bien ?

— Ça va.

— Vraiment ? insiste Kira en se penchant vers moi.

J'acquiesce en rougissant. Toute la classe continue de me fixer.

Kira rapproche sa chaise et, à voix basse, me demande :

— C'est vrai que tu as…

— Non, je coupe vivement.

— Non ? répète Amara en échangeant un coup d'œil avec sa sœur.

— Non, j'assure. Ce site ne raconte que des mensonges.

— Donc tu n'es pas Girl Online ?

— Si. Mais le reste est faux. En tout cas, ça ne s'est pas passé comme ça a été rapporté.

— J'adore Girl Online ! s'écrie Kira en souriant. J'ai découvert son blog – *ton* blog – il y a deux mois en faisant une recherche sur le *Snooper's Paradise*. La note que tu as publiée sur Fatboy Slim était hilarante !

— Moi aussi, je suis fan ! renchérit Amara, hochant énergiquement la tête.

Elles ont l'air sincères… et, visiblement, ne me jugent pas. Elles collent leurs chaises à ma table.

— Raconte ! reprend Kira. Qui est vraiment Brooklyn Boy ?

Je prends une inspiration avant de répondre :

— C'est bien lui. Noah Flynn. Mais je ne le savais pas. Je n'avais jamais entendu parler de lui.

— Moi non plus, admet Amara.

— Alors, il t'a menti ? soupire sa sœur.

J'acquiesce en réprimant un haut-le-cœur. Combien de temps faudra-t-il pour que je puisse parler de cette affaire sans avoir la nausée… ?

— Nous, on en était sûres, que tu ne savais rien…, déclare Kira, en posant une main sur la mienne. Je l'ai dit et redit à Megan. D'ailleurs, au début, je ne la croyais pas quand elle racontait que tu étais Girl Online. Et puis l'affaire a enflé et…

— Bonjour tout le monde !

C'est M. Morgan, notre prof, qui vient d'entrer.

— Un peu de silence, s'il vous plaît. Les vacances sont terminées !

Les jumelles se remettent à leur table et sortent leurs affaires. Moi, je reste figée. Les mots de Kira tournent dans ma tête : « Je l'ai dit et redit à Megan. D'ailleurs, au début, je ne la croyais pas quand elle racontait que tu étais Girl Online. »

Pendant toute la durée du cours, je suis plongée dans mes pensées. Megan connaissait donc mon blog avant toute cette affaire ? Qui a pu lui en parler ? Elliot ? Impossible, ils se détestent trop… Du coup, Megan serait-elle la moucharde qui a donné mon nom et l'adresse de mon blog à *Celeb Mag* ?

Dès la fin du cours, je file vers les jumelles.

— Quand est-ce que Megan vous a parlé de mon blog ?

— Mardi soir, au café, répond Kira en rangeant sa trousse et ses livres. Elle nous l'a montré sur son téléphone. Elle ne savait pas qu'on était déjà abonnées !

— Dis, Penny, tu vas continuer à publier des notes ? questionne Amara avec inquiétude. J'adore les sujets que tu abordes.

Je lui souris et reprends mon interrogatoire :

— Qu'est-ce qu'elle a dit sur Noah ?

— Qu'il avait trompé Leah Brown avec toi.

— Mais je lui ai tout de suite fait remarquer que ce n'était pas *du tout* ton genre de faire ça ! Pas volontairement, du moins.

— Pour tout dire, enchaîne Kira, je n'apprécie plus autant Megan qu'avant. Je l'ai trouvée vraiment peste de publier cette vidéo de toi sur Facebook.

Je pourrais la prendre dans mes bras ! Mais je me retiens, de peur d'éclater en sanglots.

M. Morgan nous interpelle depuis son bureau :

— Allons, jeunes filles, vous avez bien un prochain cours ?

Tout en se levant, Amara me glisse :

— On se voit au déjeuner ?

J'acquiesce.

— Ne t'inquiète pas, complète Kira. On va s'occuper de toi.

— Oui, on ne peut pas laisser tomber Girl Online !

Cet échange éclaire la suite de ma matinée, jusqu'au cours de théâtre. Quand j'entre, tout le monde est déjà là, sauf Ollie et Megan.

— Pen ! lance « Appelez-moi-Jeff ». Comment vas-tu ?

Au premier coup d'œil, je sais qu'il sait, tout comme les vingt élèves qui aussitôt me dévisagent.

Pense à ta chambre au Waldorf ! Tu es aux commandes de ta vie et tu connais la vérité.

— Ça va, je réponds.

Et je m'avance vers ma place d'un pas assuré.

À l'heure du déjeuner, je me détends pour de bon : Megan et Ollie sont malades. Quant aux autres, loin de me mépriser, ils me témoignent une sorte de respect. Leah Brown n'a visiblement pas beaucoup de fans à Brighton… Kira et Amara se montrent adorables et personne ne vient m'embêter pendant le déjeuner. Avant de retourner en cours, je sors faire un coucou à Tom. Il est avachi sur le volant et dort profondément. Je le réveille en toquant à la fenêtre.

— Quoi ? Dis-moi ! s'écrie-t-il en sursautant. Qu'est-ce qui s'est passé ?!

— Tout va bien. Tu peux rentrer à la maison.

Il se frotte les yeux.

— Vraiment ?

— Oui, tout le monde est sympa. Et sans rire, il faut que tu dormes… dans un vrai lit.

— Je garde mon téléphone allumé. Si tu as le moindre souci…

— … Je t'appelle, conclus-je avec un sourire.

Je regarde la voiture s'éloigner quand mon portable vibre dans ma poche. C'est un SMS d'Elliot ! Mon cœur se serre.

Elliot : Ne m'en veux pas. Mon père m'avait confisqué ordi ET téléphone, je viens seulement de les récupérer. On était en pleine engueulade quand tu es passée à la maison, c'est pour ça que je ne suis pas venu te parler. PS : J'ai fugué.

Dans ce message, pas d'indice qu'Elliot soit l'auteur de la fuite… À ce stade, autant être directe :

Penny : C'est toi qui as informé Celeb Mag de ma liaison avec Noah ? Et de mon blog ?

Elliot : Celeb Mag ? Connais pas. Penny, je culpabilise trop de mon commentaire débile. Mais c'était l'enfer à la maison, je n'arrivais plus à raisonner. PS : J'AI FUGUÉ... EN D'AUTRES MOTS : JE ME SUIS TIRÉ DE CHEZ MOI !

Ce n'était pas Elliot ! Quel soulagement ! Du coup, je me sens coupable de l'avoir soupçonné. Mais qu'est-ce que c'est que cette histoire de fugue ?

Penny : Comment ça, tu t'es tiré ? Où ça ?

Elliot : Je suis au ponton.

Penny : Tu as fugué au ponton ?

Elliot : NON ! J'ai fugué et là, maintenant, tout de suite, je suis au ponton. J'aimerais te voir !

Sans réfléchir, je me mets en route, tout en tapant sur mon clavier.

Penny : Moi aussi, je veux te voir !

Elliot : Viens me rejoindre ! S'il te plaît ! Je jouerai même à ton stupide jeu d'arcade...

Penny : Suis en chemin.

Chapitre 42

Dès que j'aperçois Elliot, je comprends que la situation est grave : sa tenue n'est pas *du tout* stylée. Il a associé une énorme doudoune bordeaux à des bottes de pluie vertes et une toque en fausse fourrure.

— Qu'est-ce qui s'est passé ? demandons-nous d'une seule voix dès que nous sommes face à face.

Nous éclatons d'un même rire, puis Elliot me prend dans ses bras. Peu à peu, mon rire se mue en sanglots.

— Au… au secours, je finis par balbutier en tentant de me dégager de son anorak. Je n'arrive plus à respirer !

— Pardon, réagit-il en se reculant. Pen… Je suis tellement désolé.

— Désolé de quoi ? je questionne, de nouveau soupçonneuse.

— De mon commentaire. C'était stupide et méchant. Mais, avec tout ce qui se passait à la maison…

Il s'interrompt, le visage sombre.

— … À partir de ce soir, je suis SDF.

— Mais, tu vas mourir de froid ! On est en plein hiver !

— Tu crois que je me suis déguisé en pêcheur russe pour le plaisir ? Le but, c'est d'éviter l'hypothermie.

— Mais pourquoi t'enfuir ?

— Mon père a dit qu'il me déshériterait si je sortais avec un garçon.

Il baisse les yeux. Les lumières clignotantes des jeux d'arcade éclairent son visage.

— Il me mettra à la porte si je deviens un…

Il s'interrompt pour mimer des guillemets.

— … « homosexuel pratiquant ». Du coup, on s'est engueulés et il m'a confisqué mon ordi et mon téléphone.

— Pourquoi ?

— Il s'est mis en tête que j'avais rencontré un mec pendant mon séjour à New York… C était pour m'empêcher de le recontacter.

— Pourquoi il a cru ça ?

— Tu te souviens de l'opération « Sabotage du Noël de mes parents » ?

— Il a cru à Hank des Hell's Angels ?

— Ouaip. Ma mauvaise blague m'est revenue dans la figure. J'ai dit à mon père : « Tu ne peux priver un ado d'Internet ! C'est comme le priver d'oxygène ! »

— Et ?

— Je te rappelle qu'il est avocat. Il m'a sorti dix mille contre-arguments. C'est à ce moment que tu as sonné. D'ailleurs, pourquoi tu n'as pas toqué au mur comme d'habitude ? C'est bien à ça que sert notre code ! Et ton texto furieux ? C'était à cause de mon commentaire sur ton blog ? Je suis vraiment désolé. J'étais jaloux…

— Jaloux ? De quoi ?

— De Noah…, répond-il, gêné. Et de toi.

— Pourquoi, moi ?

— Parce que tout t'est si facile ! Tu rencontres quelqu'un, et tes parents l'accueillent de bon cœur. Ils vont même passer Noël chez lui ! Moi, si je rencontre mon Prince charmant, mes parents me rejetteront.

— Oh, Elliot…

Je l'étreins. Je ne savais pas qu'il éprouvait ce genre de sentiments, et combien sa vie était difficile. Il éclate en sanglots.

— Je m'en veux, Pen…, hoquète-t-il. Tu es ma meilleure amie… Ma seule *vraie* amie… et je n'ai pas partagé ton bonheur… Mais j'avais peur… si peur de te perdre.

— Pas de risque…, je réplique, en riant jaune.

Il se recule pour examiner mon visage.

— Qu'est-ce que c'est que cette voix ? Il s'est passé quelque chose ?

— Tu n'as pas lu ?

— Lu quoi ?

— Sur le web…

— Non. Je viens seulement de remettre la main sur mon ordi et mon téléphone. J'ai même dû entrer incognito dans le bureau de mon père pour les récupérer.

— Noah est une rockstar. Aux États-Unis, du moins. Et il…

Je dois marquer un temps avant de me résoudre à prononcer ces mots :

— … il sort avec Leah Brown.

Elliot reste bouche bée.

— Leah Brown ? La chanteuse ?

J'acquiesce, les yeux humides.

— Mais c'est horrible !

Il paraît sincèrement choqué. Pas une lueur de satisfaction sur son visage.

— Comment tu as su ?

Je lui raconte tous les petits indices, çà et là, que je n'avais pas relevés…

— Mais toutes ces choses dont tu as parlé sur ton blog ? Quand tu disais qu'il était ton âme sœur… ?

— Je me suis trompée…, je réponds, étranglée par le chagrin. Et le monde entier le sait parce qu'un site de ragots a tout révélé ! Mon blog n'est plus anonyme !

— Je ne comprends rien… Noah savait que tu tenais un blog ?

— Non, tu étais le seul au courant.

Elliot me fixe en silence. Puis il murmure :

— Une minute..

Il sort son téléphone et consulte ses SMS.

— Tu as cru que j'avais cafté !

— Seulement parce qu'il n'y avait que toi à savoir ! Enfin, c'est ce que je pensais…

— Qui d'autre ?

— Megan.

— Hein ? s'écrie-t-il, ahuri. Mais… comment ?

— Je ne sais pas… Elle a peut-être glané quelque chose la dernière fois qu'elle est venue à la maison. À moins que…

Je réfléchis avant de finir :

— … l'info ne vienne d'Ollie. Il est passé chez moi mardi. Il a peut-être fouillé dans mon ordi.

Elliot me fixe, les yeux exorbités.

— À partir de maintenant, Penny, pars du principe que toutes mes réponses sont : « C'est quoi ce délire ?!!! » Parce que… *c'est quoi ce délire* ?!!! Que faisait le Selfie Ambulant chez toi ?

— Il est passé m'offrir un cadeau de Noël – que je n'ai même pas ouvert, d'ailleurs. C'est lui qui m'a dit que Noah était musicien professionnel quand il a vu sa photo.

Elliot m'agrippe le bras.

— Penny, tu connais la règle : le meilleur moyen de gérer une situation de crise, c'est d'en parler autour d'un milkshake. Alors direction…

— … *Choc-Ouhlà !* je complète.

Bras dessus, bras dessous, nous prenons le chemin du café. Malgré le froid mordant, une onde de chaleur s'est ravivée en moi. Mes pires craintes sont évaporées. Je ne suis pas seule. Il y a ma famille, les jumelles, et j'ai le meilleur des meilleurs amis.

Chapitre 43

J'attends d'être arrivée à *Choc-Ouhlà !* pour me détendre. Aucun des scénarios catastrophes que je craignais hier ne s'est produit. Nous avons traversé tout Brighton à pied et personne ne m'a reconnue. Conclusion : tant que j'évite d'aller sur le web, tout ira bien...

Nous commandons chacun un milkshake et nous installons au fond du café. D'habitude, j'aime bien être près de la porte pour voir entrer les clients, mais aujourd'hui, vu les circonstances, je préfère être cachée.

— Quand on y pense, déclare Elliot en dézippant sa doudoune, c'est Noah qui est à plaindre dans cette affaire. Toi, c'est certain : tu tourneras la page ; lui, en tant qu'imposteur, il ne vivra jamais heureux.

J'acquiesce, mais j'ai du mal à être convaincue...

— Merci, Elliot. J'ai de la chance de t'avoir comme meilleur ami. Personne ne pourra jamais te remplacer, je te le jure. Même si, par miracle, je rencontrais un jour un *vrai* Prince charmant !

Subitement, son visage s'assombrit. Son regard fixe quelque chose derrière moi.

— Tiens, tiens, tiens..., murmure-t-il.

Je me retourne et aperçois Megan et Ollie, s'approchant du comptoir. Panique à bord ! Que faire ? Que dire ? Rien du tout car Elliot prend déjà les choses en main... Il se dresse et lance à Megan :

— Eh ! Mega-Enflure !

Le couple sursaute et nos regards se croisent. À cet instant précis, à leur air coupable, je *sais* que Megan et Ollie sont responsables de mon malheur.

— Venez, on vous a gardé une place ! insiste Elliot, d'un ton provocateur.

— Non merci... On allait partir..., réplique nerveusement Megan.

— Ah bon ? riposte-t-il en s'avançant vers eux. Bizarre, pour des gens qui viennent d'entrer !

Je me lève à mon tour.

— Salut, Penny, marmonne Ollie sans oser me regarder.

Je viens me planter devant Megan.

— C'est toi qui m'as balancée ?

Elle aussi évite mon regard.

— Je t'ai posé une question !

— Balancé quoi ? persifle-t-elle. Que tu es une traînée ?

— Je n'ai trompé personne ! Je ne connaissais pas la vraie identité de Noah et encore moins celle de sa copine !

— Mais bien sûr. Pourquoi avoir tout raconté sur ton blog sinon pour te faire de la pub ?

— C'est un blog ANONYME ! Enfin *c'était…* ! Jusqu'à ce que tu le découvres !

Je me tourne vers Ollie et le toise.

— C'est toi, pas vrai ? Tu as fouillé dans mon ordi quand tu étais dans ma chambre ?

Son visage est écarlate.

— Il était juste là, se défend-il, ton blog était affiché sur l'écran… J'en ai lu juste un bout pendant que tu étais aux toilettes…

— Tu es mal placée pour juger, Penny, décrète Megan d'un ton hautain.

Elliot intervient aussitôt :

— Tu as pris des cours, pour être aussi peste ou c'est naturel ?

— Toi, je n'ai rien à te dire, réplique-t-elle, perfide.

— Tant mieux, ça me laisse plus de temps pour t'expliquer ce que je pense de toi.

Il s'avance d'un pas, collant presque son visage au sien.

— Tu es la personne la plus superficielle que je connaisse – si tu ne connais pas ce mot, cherche dans le dictionnaire. Si tu n'avais pas blessé ma meilleure amie, je ne perdrais pas une seconde de mon temps à te parler.

Megan se tourne vers Ollie, l'air scandalisé.

— Tu le laisses faire ?

Aucune réaction. Elliot éclate de rire.

— Laisse tomber ! La seule question que ton mec se pose, c'est : « Est-ce le bon moment pour faire un selfie ? » Mais je n'en ai pas fini avec toi, Megan.

Parce qu'en plus d'être la personne la plus superficielle au monde, tu es aussi la fille la plus laide que j'aie jamais rencontrée !

Elle a un mouvement de recul.

— C'est la vérité, insiste Elliot. Ton amertume et ta fausseté transpirent par tous les pores de ta peau. Comme du pus !

Megan retient un cri.

C'est à cet instant que la serveuse pose nos milkshakes sur le comptoir.

— Je vous les sers ici, demande-t-elle, ou à votre table ?

— On va les prendre ici..., réplique Elliot. Avec nos *amis* !

Il m'envoie un clin d'œil discret et me fait signe de prendre mon verre.

— Prête ?

— Prête !

Et, d'un même mouvement, nous projetons nos milkshakes sur Megan et Ollie ! Si le lancer de milkshake synchronisé était une discipline olympique, Elliot et moi décrocherions la médaille d'or.

Megan et Ollie restent immobiles tandis que de grosses gouttes de caramel dégoulinent sur leurs cheveux.

— Le voilà, le bon moment pour ton selfie ! ironise Elliot.

Il se tourne vers moi et ajoute :

— Allez, viens, Penny, on ferait mieux d'y aller.

— Ouaip, je réplique, le cœur léger.

Mais avant de m'éloigner, je glisse à Megan :

— Tu es pitoyable. Et je ne suis pas la seule à le penser.

Elliot et moi courons jusqu'à la gare comme deux gamins. Je dois me tenir les côtes pour reprendre mon souffle.

— C'était génial ! lance Elliot, en haletant. Mieux que dans mes plus beaux rêves de vengeance !

— Parce que tu fais des rêves de vengeance ?!

— Oh que oui !

D'un coup, son visage s'assombrit.

— J'avais oublié que j'avais fugué...

Notre regard est attiré par un SDF assis sur le trottoir. Il a le visage sale et ses habits sont crasseux.

— Pas question que tu dormes dehors, je déclare. Tu viens à la maison ! Mes parents seront d'accord pour t'héberger. Pas plus tard qu'hier, ils disaient combien tu leur manquais. Et puis on pourra demander à papa de parler à tes parents ? Il est fort, en gestion de crise. Il saura quoi dire.

Et en effet, papa est l'allié idéal. À peine rentrée, je lui raconte ce qui est arrivé à Elliot, et sa réponse est sans ambiguïté : « Nous t'hébergerons aussi longtemps que nécessaire. » Puis, il va sonner chez M. et Mme Wentworth. Cette dernière est encore bouleversée du petit mot laissé par son fils avant de fuguer – enfin, un « petit mot » à la Elliot, c'est-à-dire quatre pages A4 ! Elle promet à papa d'avoir une bonne discussion avec son mari quand il rentrera du bureau.

Nous passons la soirée devant de vieux épisodes de *Friends* en mangeant des pizzas. De temps en temps, l'un de nous murmure : « Les milkshakes ! » et nous partons d'un même fou rire. C'est bon de retrouver une telle complicité, et les joies simples de la vie ! Même si celles-ci n'annulent pas la tristesse que je ressens au fond de moi.

Vers vingt heures, le père d'Elliot sonne et demande à parler à son fils. Je patiente au salon pendant que tous deux discutent à la cuisine. Contre toute attente, il n'y a pas d'éclats de voix, et je les entends même rigoler. Enfin, Elliot apparaît, avec un sourire gêné.

— Je rentre chez moi, me souffle-t-il. Avec mon téléphone et mon ordi.

— Et… ce qu'il t'a dit sur les garçons ?

— Il m'a assuré qu'il irait « voir quelqu'un », répond Elliot en mimant des guillemets, pour mieux accepter ma… « sexualité ».

— C'est déjà pas mal !

Il acquiesce et me prend dans ses bras.

— Je t'aime tellement, ma Pen…

— Moi aussi.

Quand ils sont partis, je me prépare une tisane et monte dans ma chambre. Quelle journée… ! Je pousse un long soupir. Tom avait raison : ça m'a fait du bien d'affronter les regards et de dire à Megan ce que j'avais sur le cœur.

J'aperçois justement le cadeau d'Ollie, bien empaqueté, sur le sol. Intriguée, je déchire le papier et découvre une photo encadrée… d'Ollie ! L'une de celles que j'ai prises à la plage ! J'éclate de rire…

Il faut être vraiment égocentrique pour offrir une photo de soi ! Cette pensée me rappelle les cadeaux de Noah : la ravissante Princesse d'Automne, le livre de photos noir et blanc, la chanson composée en secret... Tous se rapportaient à moi et à mes goûts. C'est ce qu'on appelle de *vrais* cadeaux.

Je vais à mon lecteur CD, appuie sur « *Eject* », et range le disque dans son boîtier, ainsi que les paroles. En deux pas, je suis au-dessus de ma poubelle, le bras levé. Mais c'est au-delà de mes forces... Mes doigts restent cramponnés au coffret. En désespoir de cause, je le fourre au fond de mon armoire.

Ma main effleure mon ordinateur.

Affrontes-tu réellement le monde si tu évites Internet ? Non... Le monde du web existe et tu dois y faire face. Sors cet ordi et connecte-toi. Tu vas y arriver !

Je pense à Océane la Battante et m'installe sur mon lit pour consulter mes mails. Il n'y en a qu'un. De *Celeb Mag*.

De : jack@celebmag.com
À : girlonline@gmail.com
Objet : Interview exclusive ! Une occasion en or...

Bonjour !
Vous le savez certainement, nous avons parlé de votre relation avec Noah Flynn sur notre site web. Nous vous proposons à présent de partager votre version des faits avec nos 5 300 000 lecteurs, et vous offrons 20 000 $ contre une interview exclusive. La visibilité de votre blog

s'en trouverait très fortement accrue, ce qui pourrait vous amener des contrats commerciaux.
Dans l'attente de votre réponse.
Bien cordialement

L'ÉQUIPE DE *CELEB MAG*.

Je reste figée, ahurie de tant de culot. C'est maintenant qu'ils me demandent ma version des faits ?!! Après avoir raconté tant de bobards à mon sujet ?! Comme si j'allais accepter leur argent minable !!!

Je m'apprête à répondre rageusement, quand une meilleure idée me vient. Direction : mon blog.

4 janvier

Du conte de fées à l'histoire d'horreur

Salut à tous !
Vous savez sans doute que ce blog a été le centre de beaucoup d'attention ces dernières quarante-huit heures. Voilà que de parfaits inconnus diffusent des mensonges à mon sujet partout sur le web. Les rédacteurs d'un site people ont même écrit des articles sur moi sans me consulter.
Ces personnes ne me connaissent PAS.
VOUS ne me connaissez pas.
Personne ne sait ce qui m'est réellement arrivé.
Pourtant, cela ne vous a pas empêché de donner votre avis et de me bombarder d'insultes.
Je me suis toujours efforcée d'être sincère envers mes lecteurs. C'était d'ailleurs tout l'intérêt de ce blog ! Avoir un endroit où je puisse être *moi-même*.

Je n'ai écrit ici que la vérité.
Même si, parfois, ce n'était que la vérité qu'on me donnait à voir.
Je ne savais pas qui était réellement Brooklyn Boy. Je savais qu'il s'appelait Noah et qu'il aimait la musique, mais j'étais loin de me douter qu'il avait un contrat avec Sony et encore moins qu'il avait une copine.
Si je l'avais su, rien ne se serait passé entre nous.
Il m'a menti.
Il m'a brisé le cœur.
Et, pour couronner le tout, une personne malveillante a découvert l'existence de ce blog et révélé mon identité au monde entier.
Au plus fort de cette tempête, j'ai cru que mon monde s'écroulait.
Ces deux derniers jours m'ont obligée à voir la cruauté et la petitesse du monde du web. Dans ce monde, on attaque des personnes qu'on ne connaît pas, tout en restant planqué derrière un pseudo. Même de gros sites tels que *Celeb Mag* se permettent de publier des informations sans la moindre vérification.
Aujourd'hui, *Celeb Mag* m'a contactée et m'a proposé une interview exclusive sur ma « relation avec Noah Flynn » en échange de 20 000 $. On m'explique même aussi que ce serait une super pub pour mon blog !
Comme si j'allais me laisser acheter par une bande de menteurs ! Et même s'ils ne l'étaient pas, je ne vendrais jamais d'information sur personne – encore moins sur quelqu'un que j'aime – même s'il m'a blessée profondément.
Voici ce que je voudrais vous dire : à chaque fois que vous postez en ligne, vous faites un choix, soit vous

apportez du bonheur dans le monde – soit vous en retirez. Or, le malheur est déjà bien assez présent autour de nous, inutile d'en ajouter.
Ceci est ma dernière note.
À ceux qui m'ont soutenue : merci de tout cœur. Je ne vous oublierai jamais.

Penny Porter
Alias : Girl Online

Chapitre 44

Le lendemain matin, je me réveille au son du message codé : *« Je peux venir te voir ? »*

« *Oui.* »

Je me frotte les yeux et consulte l’horloge de mon portable : 6 h 30 ! Je panique. Que s’est-il encore passé ? D’un pas groggy, je descends lui ouvrir.

— Penny, commence-t-il en s’introduisant dans l’entrée, je sais que tu as annoncé que tu arrêtais ton blog. Mais il y a une chose que tu dois voir *absolument.*

Il m’agite son téléphon ous le nez.

— Si ça a à voir avec Noah, la réponse est non.

Elliot sourit.

— Oui, ça a un peu à voir, mais c’est chouette. Promis.

Je soupire avant de céder :

— Montre…

Sur l’écran, j’aperçois la liste de notifications de son compte Twitter.

— Tu as ton propre hashtag ! s'écrie-t-il.

— Hein ?

Je regarde les tweets. Tous se finissent par #OnaimeGirlOnline.

— Il y a aussi « #RendeznousGirlOnline » et « #OnveutGirlOnline », poursuit Elliot fièrement. Depuis ta note d'hier soir, ils font le buzz.

Je lis les premiers tweets : des compliments sur mon blog, des appels à ne pas l'abandonner et à ignorer les propos haineux. Puis je repère un tweet de Miss Pégase…

Pardon de t'avoir jugée. Reviens ! #OnaimeGirlOnline

— Tes fans réclament ton retour ! C'est génial, non ?

— Oui… Euh, non… Je ne sais pas.

Mes récentes mésaventures m'ont rendue plus que méfiante… Je ne suis pas certaine d'avoir envie de reprendre mon blog – surtout que je ne peux plus me réfugier derrière l'anonymat de Girl Online…

— Le web n'est pas qu'un monde virtuel, poursuit Elliot, il est connecté au réel. *Ton blog* est réel.

Il désigne les tweets sur son téléphone.

— … Tout comme le soutien et l'amour de tes lecteurs

Pendant deux jours, je me triture le cerveau pour savoir si je reprends ou non mon blog. Elliot me fait des comptes-rendus réguliers sur la tendance de mes hashtags.

Dimanche, je me réveille aux premiers cris des mouettes. Pour ne pas tourner en rond dans ma tête, je décide de sortir prendre des photos. Quand j'entre dans la cuisine pour prendre un en-cas à grignoter en chemin, j'y trouve papa en train de lire le journal.

— Tu sors ? me demande-t-il, surpris.

— Oui, je voudrais profiter de l'heure matinale pour faire des images de la plage.

Je fourre une banane dans ma poche.

— Tu en as pour longtemps ?

— Une heure ou deux.

— D'accord, réplique mon père en fronçant les sourcils. Mais tu rentres directement après.

— Bien sûr. Pourquoi ?

— Pour savoir quand je commence à préparer le déjeuner. À tout à l'heure !

Et il redisparaît derrière son journal.

Je m'apprête à passer la porte quand maman surgit dans l'entrée.

— Penny ! Tu es tombée du lit ?

— Je n'arrivais pas à dormir… Et toi, alors ?

D'habitude, ma mère ne se lève pas avant dix heures le dimanche. C'est le seul jour où elle peut faire la grasse mat'.

— Comme toi, je n'arrivais pas à dormir.

Je hausse les épaules, compatissante.

— Tant pis… Allez, à plus tard !

— Comment ça, « à plus tard » ?

— Je vais à la plage, faire des photos. Je serai rentrée avant le dèj.

— Bon, préviens-nous s'il y a un changement de programme.

— Promis. À tout à l'heure !

Ce n'est qu'une fois en route que je comprends : ils s'inquiètent depuis ma dernière crise d'angoisse... Aussitôt, j'envoie un texto à papa.

Penny : Je serai au vieux ponton.

Ça le rassurera de savoir où je suis.

La plage est déserte, surplombée par un ciel gris chatoyant. Bizarrement, je trouve ça beau. J'aime être seule face à la mer. Abritée sous une petite tente de plage, j'observe le va-et-vient des vagues. Le chagrin, d'un coup, me submerge. Maintenant que mes pensées sont moins accaparées par Elliot, Megan et Ollie, et même par mon blog, les souvenirs de Noah peuvent proliférer. Je songe à tout ce qui s'est passé mais ne ressens plus de colère – seulement de la tristesse.

Au bout d'un long moment, je me force à me lever. Il faut passer à autre chose. Appareil en main, je m'avance vers le vieux ponton.

J'adore le vieux ponton de Brighton. Sale et délabré, il semble sorti tout droit d'un film d'horreur – surtout aujourd'hui, avec les bourrasques tourbillonnantes et les vagues qui s'écrasent contre les pilotis. Derrière moi résonne un long sifflement, sans doute un maître appelant son chien.

Je m'accroupis et zoome sur le ponton. Nouveau sifflement, plus long et plus insistant. Le chien a dû s'éloigner, ou peut-être est-il parti nager ? Je me retourne… Personne. Puis j'aperçois une tache de couleur au sommet de la tente de plage… Un éclat auburn. Sans réfléchir, je braque mon objectif dessus, mais au moment d'appuyer sur le bouton, je me fige.

— Qu'est-ce que… ?

Je cligne des yeux et regarde de nouveau.

C'est Princesse d'Automne, installée sur le toit du petit abri ! Comment est-ce possible ?! Je l'ai pourtant laissée à Bella ! Les galets crissent sous mes semelles tandis que je m'avance. Il y a forcément une explication… C'est une poupée qui lui ressemble… Mais, plus je m'approche, mieux je distingue sa robe de velours bleu, la teinte crème de son visage et ses cheveux soyeux, balayés par le vent… Je m'immobilise et scrute les environs. Papa et maman l'auraient-ils rapportée sans me le dire ? Mais pourquoi ? Et quelle idée de la laisser là ? Je sonde le large mais n'aperçois toujours rien… Alors, j'entends un bruit de pas derrière moi. Je me retourne d'un bond.

— Oh !

Noah est là, devant moi, la capuche de son survêt remontée sur la tête. Il devait être accroupi derrière la tente.

— Ta poupée se languit de toi, déclare-t-il en la désignant du menton. C'est Bella qui me l'a dit.

Je reste muette. C'est une hallucination, forcément.

Il s'avance d'un pas et, instinctivement, je recule.

— Il faut que je te parle.

— Je… je ne comprends pas…

Une bourrasque glaciale me gifle et me ramène à la réalité. Je m'écrie :

— Tu m'as menti ! Pourquoi ? *Pourquoi ?!*

— Je suis désolé. Je voulais tout te dire, mais j'ai eu peur de tout gâcher.

Ma stupeur se mue en colère.

— Me révéler que tu avais une copine – oui, ç'aurait certainement tout gâché !

Noah enfonce les mains dans ses poches et réplique :

— Je n'ai pas de copine. Et je n'en avais pas quand on s'est rencontrés.

— Je rêve… Tu es venu jusqu'ici pour continuer à me mentir ?!

— Ce n'est pas un mensonge.

— Il n'y a qu'à aller sur Internet ! Les tweets, les articles, les…

— Des conneries.

— Hein ? Les tweets de Leah Brown et toi ?

— Surtout ceux-là !

Je le toise.

— Qu'est-ce que tu entends par : « surtout ceux-là » ?

— Le dernier album de Leah a fait un flop… Pour faire remonter les ventes, les gens de chez Sony ont voulu mettre en scène une fausse histoire d'amour entre elle et moi. Ils prétendaient que ce serait bon aussi pour mon album. Ça ne me branchait pas, mais on m'a promis que c'était l'affaire de quelques photos et de deux-trois tweets. J'ai voulu refuser, mais mon contrat était déjà signé. Je te promets, Penny, que je n'avais pas de copine... Jusqu'à ce que tu entres dans ma vie.

Je m'efforce d'intégrer toutes ces informations.

— Leah et toi, vous n'êtes pas...

— Non ! Et on ne l'a jamais été.

— Alors, elle n'a pas été blessée par ce qui s'est passé entre nous ?

Noah s'esclaffe.

— Certainement pas ! Ça l'a un peu agacée au début, parce que cette histoire lui donnait l'air bête, mais les ventes de son album ont explosé et elle s'est très vite remise !

— Je suis sidérée qu'une maison de disques monte un tel scénario...

— Ouais, répond-il en haussant les épaules. Apparemment, ça arrive souvent.

— Mais pourquoi ne pas m'avoir expliqué, tout simplement ?

— J'y ai pensé mille fois... Et Sadie Lee m'y poussait... Mais j'avais trop peur.

— Peur de quoi ?

— De te perdre.

Il tourne son regard vers la mer.

— Qui voudrait d'un type qui trempe dans des bobards marketing... ?

Je ne peux pas m'empêcher de sourire. Je n'ai plus de colère. Noah est ici. Sur la plage de Brighton, à quelques mètres de moi. Il a traversé l'océan. Il n'a pas de copine. Il ne sort pas – et n'est jamais sorti – avec Leah Brown. Cependant...

— Pourquoi m'avoir envoyé ce texto accusateur ? Et avoir changé de numéro ?

— C'était une crise de parano... J'ai cru que tu avais fait tout ça pour donner de la visibilité à ton blog.

— Je ne savais même pas qui tu étais ! D'ailleurs, presque personne n'a entendu parler de toi, ici ! À part mon frère, mais il écoute des trucs tellement bizarres...

— Euh... merci !

— Pardon, je voulais dire...

Noah sourit à son tour. Et la seule vue de ses fossettes réveille mes frissons. Il poursuit :

— J'ai paniqué, voilà tout. Surtout quand est sortie l'histoire de ma dépression suite à la mort de mes parents... et l'adresse de mes endroits préférés. Je suis une personne très secrète, et je me suis senti agressé.

— Je ne peux que comprendre...

Noah affiche aussitôt une mine soucieuse.

— Comment tu gères ça, toi ?

— J'ai fait une cure de désintox du web...

Il rit, puis demande :

— Alors, tu n'as pas vu ma nouvelle vidéo sur YouTube ?

Je secoue la tête. Il me prend par la main et m'entraîne vers la tente de plage. Nous nous abritons du vent et Noah sort son téléphone. En deux clics, il affiche une vidéo de lui qui dit : « Ces derniers temps, des tas de rumeurs ont circulé à mon sujet. Je ne suis pas adepte de Twitter, alors je vais m'en tenir à ce que je connais le mieux : une chanson.

Celle-ci sera la première de mon nouvel album. Elle s'intitule *Fille d'Automne* et parle de l'unique amour de ma vie. »

À la fin de la chanson, Noah murmure :

— Je suis vraiment désolé, Penny…

— Ce n'est pas grave.

— Quand j'ai lu ta note de blog, je me suis senti tellement… tellement nul.

Il pose sa main sur la mienne.

— On pourrait reprendre ?

— En tant qu'amis ?

Il secoue la tête.

— En tant qu'événements perturbateurs. Parce que… « je t'aime tellement que ça pourrait bien être de l'amour ». Et je ne dis pas ça à toutes les filles.

— Même pas à Leah Brown ? je questionne avec malice.

— *Jamais* à Leah Brown !

Il se rapproche.

— Je peux t'embrasser ?

— Oui, s'il vous plaît.

Ses mains entourent mon visage.

— Vous êtes sacrément polies, vous, les Anglaises…

Nous nous embrassons mais c'est un baiser timide, presque craintif.

— Comment es-tu arrivé jusqu'ici ? je demande.

— J'ai pris l'avion.

— Sans blague ?! je pouffe. Je voulais parler de la plage.

— C'est ton père qui m'a déposé.

— Quoi ? Il savait que tu venais ?

— Ouais. J'avais demandé à tes parents de garder la surprise.

— Opération réussie !

Nous nous levons, mais mon pied glisse et je m'écroule sur la tente de plage. Je me relève maladroitement, les joues rouges.

— Sympa, ton roulé-boulé ! jette Noah. Je peux essayer ?

Il prend son élan et se jette sur l'abri. Nous roulons sur la plage, bras et jambes entremêlés, riant comme deux enfants. En quelques secondes, les dernières tensions sont dissipées pour de bon.

— Tu m'as tellement manqué, Événement Perturbateur..., souffle Noah.

Et cette fois, notre baiser n'a rien de craintif. Ce baiser-là me donne la sensation d'être, enfin, chez moi.

Remerciements

Je tiens à remercier toute l'équipe éditoriale de Penguin pour son aide dans l'écriture de mon premier roman, en particulier Amy Alward et Siobhan Curham qui m'ont accompagnée pas à pas dans cette entreprise.

Mille mercis à mon agent Dom Smales (Dombledore), l'homme le plus attentionné du monde qui, par son soutien sans faille, m'a aidée à devenir une femme plus assurée, et qui m'a épaulée tout au long de cette aventure faite de bien plus de « hauts » que de « bas ».

Je remercie également Maddie Chester et Natalie Loukianos, mes *talent managers*, qui, avec douceur et gentillesse, m'ont aidée à tenir mes délais (même quand j'étais complètement à côté de la plaque et incapable de m'organiser).

Je dois aussi un grand merci à Alfie Deyes qui a supporté bien des nuits consacrées à l'écriture ou à la relecture de ce livre, et qui m'a réconfortée quand le stress me gagnait.

Merci encore à ma famille : papa, maman, mon super-frangin, mes mamies et mon papi adoré – tous m'ont apporté un soutien sans faille. J'espère les avoir rendus fiers.

Je veux aussi remercier mes amis, anciens et nouveaux, dans la vraie vie et en ligne. Chacun me donne l'énergie d'avancer et de faire chaque jour ce que j'aime. C'est une chance immense de vous avoir dans ma vie.

Merci également à ma Chummy Louise d'être restée si positive depuis quatre ans, et de m'avoir tenu la main en tout temps, heureux et douloureux.

Tant de personnes se sont réunies pour m'épauler au cours de cette aventure : je promets de tous venir vous embrasser en personne un jour ou l'autre (même si cela doit me prendre un temps fou !).

Avec toute mon affection,

Zoe Sugg

Composé par Nord Compo Multimédia
7, rue de Fives, 59650 Villeneuve-d'Ascq

Achevé d'imprimer en avril 2015
par CPI Firmin Didot au Mesnil-sur-l'Estrée
Dépôt légal : mai 2015. N° 122475-1 (127114)

Imprimé en France